Dr. Gülseren Budayıcıoğlu, üç çocuklu bir memur sinin ilk çocuğu olarak Ankara'da dünyaya geldi. TED Ankara Koleji'nden mezun olduktan sonra Ankara Üniversitesi Tıp Fakültesi'ne girdi. Öğrenciliği boyunca bir yandan da yeni açılan TRT televizyonlarında spiker ve sunucu olarak çalıştı. Psikiyatri ihtisasını yaptığı Hacettepe Üniversitesi'nde on yıl boyunca asistan ve öğretim görevlisi olarak hizmet verdi.

Ankara'da yıllarca muayenehane hekimliği yaptıktan sonra 2005'te, Türkiye'nin ilk psikiyatri merkezi olan ve halen Ankara ve İstanbul'un çeşitli bölgelerinde hizmet veren Madalyon Psikiyatri Merkezi'ni kurdu.

Psikiyatri bilimini hikâye ve romanlar yoluyla insanlara ulaştırmak amacıyla yazdığı *Madalyonun İçi, Günahın Üç Rengi, Hayata Dön, Kral Kaybederse* ve *Camdaki Kız* adlı kitapları yayımlandı. Hemen ardından bu kitaplardan esinlenerek hazırlanan "İstanbullu Gelin", "Doğduğun Ev Kaderindir", "Masumlar Apartmanı", "Kırmızı Oda" ve "Camdaki Kız" adlı televizyon dizileri beğeniyle izlendi.

2020'de *Madalyonun İçi* adlı kitabı Yıldız Teknik Üniversitesi tarafından yılın kitabı ödülüne layık görüldü. Yine aynı yıl, Medipol Üniversitesi tarafından "Yılın En İyi Farkındalık Yaratan Yazarı" ödülünü aldı.

2021 yılında Hacettepe Üniversitesi'nce yılın en iyi yazarı seçilerek "3. Kristal Geyik" ödülünün sahibi oldu. İstanbul Teknik Üniversitesi'nin dağıttığı 2021 yılı Sosyal Medya ödülleri yazarlık dalındaki ödül yine Gülseren Budayıcıoğlu'na verildi.

Yeditepe Üniversitesi "9. Dilek" ödülünü ise, yılın en iyi dizisi kategorisinde "Masumlar Apartmanı" aldı.

İki çocuk annesi olan Gülseren Budayıcıoğlu, Madalyon Psikiyatri Merkezi'nin başkanlığını yapmaya, ülkemiz insanlarının gerçek yaşamlarından alınan hikâye ve romanlarını yazmaya devam ediyor.

www.facebook.com/drgbudayicioglu
www.twitter.com/drgbudayicioglu
drgbudayicioglu@madalyonklinik.com

Hayatın Sesi

DOĞAN KİTAP TARAFINDAN YAYIMLANAN DİĞER KİTAPLARI

Camdaki Kız
Hayata Dön

HAYATIN SESİ

Yazan: Gülseren Budayıcıoğlu
Editör: Neclâ Feroğlu
Kitapta yer alan hikâyelerin bir kısmı, daha kısa olarak, Gülseren Budayıcıoğlu'nun *Hürriyet* gazetesindeki köşesinde de yer almıştır.

1. baskı / Şubat 2022 / ISBN 978-625-8036-85-5
Sertifika no: 44919

Kapak tasarımı: Cüneyt Çomoğlu
Baskı: Yıkılmazlar Basın Yayın Prom. ve Kâğıt San. Tic. Ltd. Şti.
Evren Mah. Gülbahar Cad. No: 62 / C Güneşli - Bağcılar - İSTANBUL
Tel: (0212) 515 49 47
Sertifika no: 45464

Doğan Yayınları Yayıncılık ve Yapımcılık Tic. A.Ş.
19 Mayıs Cad. Golden Plaza No. 3, Kat 10, 34360 Şişli - İSTANBUL
Tel. (212) 373 77 00 / Faks (212) 355 83 16
www.dogankitap.com.tr / editor@dogankitap.com.tr / satis@dogankitap.com.tr

Hayatın Sesi

Gülseren Budayıcıoğlu

İçindekiler

Teşekkür

Bu kitabın yazılmasında bana her zaman olduğu gibi sevgiyle, şefkatle destek veren sevgili çocuklarım Yağmur ve Hasan'a, yazdığım her kitabımı basılmadan önce dikkatle okuyan ve beni yönlendiren sevgili dostum MKD'ye, her yazdığımı dikkatle gözden geçiren ve öneriler yapan genç arkadaşlarım sevgili Emre Pekçetinkaya ve sevgili Gizem Çil'e; titiz çalışmaları ve sevgi dolu yaklaşımlarıyla sevgili editörüm Necla Feroğlu'na, sevgili Gülgün Çarkoğlu'na, sevgili Cem Erciyes'e ve tüm Doğan Kitap ailesine teşekkürlerimi sunarım.

Bu dünya hepimizin

Canlı cansız,
        dağ tepe,
            deniz derya,
                ağaç çiçek,
                    börtü böcek,
                        kedi köpek
ve biz insanların.

Onlar bizden önce varmış zaten. Biz sonradan gelmişiz.
Yani biz o döngünün devamıyız.
Belki son halkasıyız, belki son bile değiliz.

Eğer dünya bizim yaşam alanımız, bizim evimizse o evin;

her tahtasına,
        her çivisine,
            rengine,
                kokusuna,
                    havasına suyuna,
                        temizliğine,
bakımına özen gösterelim.

Çünkü içinde yaşayacak,
bizden sonra gelenlere tertemiz teslim edecek
başka bir evimiz yok.

Giriş

Merhaba benim çok sevgili okuyucularım,

Salgın başlayalı beri çoğunuzun yaptığı gibi ben de eve kapandım. Hayatımın hiçbir döneminde bu kadar uzun süre evde oturmamıştım. Oysa önümüzdeki günler için ne planlarım vardı. İlk şaşkınlığın ardından yavaş yavaş alıştım evde yaşamaya.

Alışmayıp da ne yapacaksınız, hayat ne yapacağını hiçbirimize sormuyor ki... Tıpkı sizler gibi ben de en alışkın olduğum şeylere yöneldim. Biraz da evde çalış dedim kendime. Bu arada bol bol düşünmeye de vaktim oldu. Geçmişi düşündüm, bugünlere hangi yollardan geçerek geldiğimi; acılarımı, kayıplarımı, sevinçlerimi, mutlu günlerimi düşündüm. Çocukluktaki hayallerimi, gençlikteki heyecanlarımı, olgunlaştıkça nasıl değiştiğimi, sabahlara kadar masamın başında yazı yazdığım yorgun gecelerimi, akşamlara kadar klinikte hastalarımla geçen büyülü zamanları...

Her birini dinlerken hep ufak tefek notlar alırdım. Hastalarım ne yazdığımı çok merak ederdi. Hatta sık sık, kenardaki dolapta duran dosyaları bir gece gizlice kliniğe girip okumak gibi hayalleri olduğunu söyleyince birlikte gülerdik. Kimine de oraya ne yazdığımı gösterirdim. Okurken heyecanlanır, hemen de gözleri dolardı. Bir başkası tarafından kendisi için yazılanları okumak, demek onları çok heyecanlandırıyor, biraz da hüzünlendiriyordu. O sayfalara daha çok, hikâyenin beni en çok etkileyen, o hikâyeyi özgün yapan ayrıntılarını yazardım.

Okuduğunuz kitapları biraz da bu keşiften yola çıkarak yazdım.

İlk kitabım olan *Madalyonun İçi*'ni yazdığım günleri hiç unutmuyorum. O kitabı yazarken nasıl bir ruh hali içinde olduğum aklıma geldikçe hep içimi derin bir hüzün kaplıyor. Yazarlık önemli bir meslek. Bilgi ister, yetenek ister, fedakârlık ve tecrübe ister. Her şeyden önce cesaret ister. Bende bunların ne kadarı vardı acaba? Hem çok korkuyor, bir o kadar da çok istiyordum yazmayı çünkü içimdeki ses, "Bugüne kadar öğrendiklerini mutlaka daha geniş kitlelerle paylaşmalısın" diyordu. Çünkü nasıl ki mutluluk paylaştıkça çoğalırsa, acının da paylaştıkça azaldığını biliyordum.

Ben hastalarımı dinlerken onları nasıl anlıyor, acılarını paylaşıyorsam, siz okuyucularımın da onları anlayacağını, anladıkça bunun kendi acılarınıza da şifa olacağını inanıyordum. Bunları bilsem bile yine de yazmaktan korkuyordum.

Üstelik o dönem hayatım zaten yeteri kadar doluydu. Bir yanda çok düşkün olduğum ailem yani eşim ve iki çocuğum, bir yanda arada bir dozunu kaçırarak geç saatlere kadar baktığım hastalarım ve çok sevdiğim arkadaşlarım...

Zaten hayatım da bundan ibaretti. Yine de yorgunluktan ayakta duracak halim kalmasa da evde herkes yattıktan sonra salondaki yemek masasının başına oturup –o zaman henüz bir çalışma masam yoktu– geç saatlere kadar yazardım.

Şimdi düşünüyorum da, normal biri kendini böylesine yormaz, hatta cezalandırmaz. Bunu ya deli yapar ya da "deli doktoru". Bu terimi sanırım hepiniz biliyorsunuz. Bir zamanlar küçük büyük, ruhsal sorunu olan ve psikiyatriste giden herkese deli, bize de deli doktoru derlerdi. Ancak şimdi işler değişti. Artık bizden yardım alanlara akıllı diyoruz.

Tam dört yıl uğraştım o kitap için. Sonunda 2004'te yayımlandı. Bu sefer de başka türlü bir endişe çöktü üzerime. Bunca emek verip yazdım ama acaba insanlar bu kitabı okuyacak, vermek istediğim mesajları, hissettirmek için çok uğraştığım insana has özellikleri, güzellikleri, hoşgörüyü, sevgiyi, şefkati, merhameti alabilecekler miydi?

Psikiyatri gibi anlatılması da anlaşılması da zor bir bilim dalının mensubu olarak meramımı doğru ifade edebilmiş miydim? Şimdilerde, aradan bunca yıl geçtikten sonra bu kitabı hâlâ en çok satanlar listesinde görünce hep gözlerim dolar. Bir yandan heyecandan içim titrer, sevinirim, bir yandan da o günler hüzünlendirir beni.

O kitap, meğer hiç beklenmeyen bir serüvenin başlangıcıymış. Hayatın bana ne büyük sürprizler yapacağını o zamanlar hiç bilmiyordum. Hayat böyle işte, hep gizemli, hep bilinmezliklerle dolu... Yarınların ne getireceğini bilsek, belki de yaşamak bu kadar cazip olmazmış.

Ardından öteki kitaplar yazıldı. Diğer yazarlar kitaplarını nasıl yazıyor bilmiyorum ama ben anlatacağım hikâyenin içine iyice girmeden, o günleri kendime tekrar tekrar yaşatmadan yazamıyorum. Hikâyenin beni en çok etkileyen yerlerini kendime iyice hatırlatmadan olmuyor bu iş. Onu yaşayan, bana bunları anlatırken ne hissettiyse, en çok da bunu arıyorum.

Tabii bir de onun kim olduğunu asla belli etmemek var. Kişiye ait tüm bilgileri değiştiriyorum. O artık bambaşka biri oluyor ama duygulara hiç dokunmuyorum. Yaşanmış bir hikâyeyi güzel yapan da zaten içindeki duygulardır.

Her kitabımda, hayatın, kimselere gösteremediği gerçek yüzünü yazmaya çalışıyorum. O yüzü gördükçe, içimizde hissettikçe hayat eskisi kadar saklanamıyor bizden. Kenarından köşesinden de olsa kaderin bilinmezliğini, acı ya da tatlı sürprizlerini, bizi kullanarak kendi elimizle yine kendimize neler ettirdiğini görmeye başlıyoruz.

"İnsan kaderini değiştirebilir mi?" En çok da bunu soruyorsunuz bana. Bunca insanın en derinlerini, acı tatlı her türlü yaşanmışlıklarını en gerçek yüzüyle gördükten sonra artık bazı şeyleri değiştirebileceğimize sonuna kadar inanıyorum. Bu meslek sayesinde kaderini değiştiren, mutsuz, hüzünlü, acılı bir hayatı geride bırakıp bambaşka kapıları zorlayan, bambaşka duygularla, hayata gülerek bakabilen pek çok insan tanıdım. Bunu yapabilmek için kendimizi çok iyi tanıyıp doğru teşhisi koyabilmenin ne kadar önemli olduğunun da farkındayım. Bu kitapların, kitaplardaki birbirinden çok farklı gerçek hikâyelerin, hatta kitaplardan uyarlanan dizilerin sizin kendinize doğru teşhis koymanızda çok yardımcı olacağına inanıyorum. Hep diyorum ya, "Başkalarının ne hissettiğini anlarsak, kendimizi de daha kolay anlarız" diye.

Kaderimizi daha güzel, daha mutlu, huzurlu ve keyifli yollara doğru yönlendirebilmek için en çok neyi değiştirmemiz gerektiğini bilmek gerekiyor. Bunları bilip bu değişikliği gerçekten istiyor ve bunun için çabalıyorsak, gerisi zaten çorap söküğü gibi kendiliğinden geliyor.

Bir yandan da sizlere bu yaşanmış hikâyeler yoluyla ülkemiz insanlarını, aslında her birinin neler yaşadığını anlatmaya çalışıyorum. Bizler birbirimizi tanıdığımızı zannetsek de, aslında pek tanımıyoruz. Onlar da bizi tanımıyor. Bizim ülkenin insanları bu konuda ser verir sır vermez. Kültürümüzden gelen bir özellik bu.

Tekrar ilk kitabım olan *Madalyonun İçi*'ne dönecek olursak, işte o ilk kitaptan beri hayattan en çok da bunu istemiştim. Kitaplarımı herkes ama özellikle de kadınlar, gençler okusun. Okusun ki bir kere geldiğimiz bu hayat hepimize güzel günler göstersin.

Demek hayat sesimi duymuş ki, siz sevgili okuyucularım bu kitaplara böylesine bir ilgi gösterdiniz. Hayatın sesimi duymuş olması beni hâlâ çok heyecanlandırmaya devam ediyor. Hayat beni duydu, ben de onu.

Aslında hayat o sesi sadece bana duyurmuyor, dikkatli dinlerseniz eminim siz de duyacaksınız o sesi, "Hayatın sesi"ni...

Bakalım bu kitapta hayat bize neler diyor.

Beni ilk günden beri sevgiyle, şefkatle sarıp sarmalayan siz sevgili arkadaşlarıma, dostlarıma, en derin sevgilerimle...

Gülseren Budayıcıoğlu

Hayatın sesi

Her birimiz kendi dünyamızın merkezinde yaşıyoruz. Her birimizin hayatını yazsak roman olur çünkü hayat çok zengin. Öyle zengin ki, her birimize birbirinden çok farklı serüvenler yaşatıyor. Dümdüz yaşayıp gittim, benim hayatımda yazacak da, anlatacak da önemli bir şey yok diyenlerin bile biraz derinlerine inerseniz, size neler anlatırlar, neler.

İşte bize bunları anlattıran hep hayatın bize gösterdiklerinden çok hissettirdikleridir. Bizi en çok duygulandıran, bazen ağlatan, bazen de güldürenlerdir. Şaşırtan, heyecanlandıran, kalbimizi çarptıran, korkutanlardır. Bazen umutlandıran, bazen de o umudu kökünden budayanlardır. Her şeyi unuturken, hiç aklımızdan gitmeyen unutamadıklarımızdır.

Hal böyle olunca da hepimizin hayatı romandır aslında.

Çok yaşlı bir dünyada yaşıyoruz. Gençliğinde kimseleri istememiş dünya. Milyonlarca yıl sonra yalnızlıktan sıkılmış olmalı ki, yavaş yavaş canlılar türemiş. Sıra insana gelene kadar birbirinden farklı binlerce canlı türü oluşmuş. Sonunda bakmış ki, onların hiçbirine kendini gösteremiyor, anlatamıyor, sonunda insanı yaratmış. Akıllı, becerikli, duygulu, ağlamayı da gülmeyi de, heyecanlanmayı da konuşmayı da bilen insanı.

O günden sonra dünyamızın canı bir daha hiç sıkılmamış.

Milyonlarca yıldır, milyarlarca insan gelip gitmiş dünyamıza.

Ünlü padişahlar, sultanlar, krallar kraliçeler, prensesler, ünlü komutanlar, bilim insanları, devlet başkanları, sanatçılar, filozoflar, ünü büyük Kozanoğlu bile kaderi, kısmeti ne kadarsa, o kadar kalabilmiş dünyamızda. Yani bu dünya Sultan Süleyman'a bile kalmamış.

Sadece köşklerdekiler, saraylardakiler değil, kenarda köşede, kimi maden ocağında, kimi bir kulübede, kimi soğuktan donarak, kimi güneşin altında yanarak, kimi öksüz, kimi yetim pek çok gariban da geçmiş bu dünyadan. Hangisi bu ömrün tadını daha çok çıkarmış derseniz, bence o da belli değilmiş çünkü sadece maddi varlıklar insanı mutlu etmeye yetmemiş.

Bir de bizden sonra gelecekler var. Onlar acaba nasıl bir dünyada yaşayacaklar, işte onu çok merak ediyorum. Annem anlatırdı, yüz yaşında ölen bir ninesi varmış annemin. Hep dua edermiş Allah'a, beni ak saçlarımla teneşire yatırma diye. Bir gün aniden bütün saçları dökülüvermiş. Bir de bakmışlar, altından simsiyah saç çıkıyor. Annem, "Üzüm gibi simsiyah, bebek saçı gibi saçları çıktı ninemin" diye anlatırdı. Saçlar biraz uzayınca da bir sabah aniden ölüvermiş nine. Teneşirde yıkanırken ninenin simsiyah saçlarını görenler hayretler içinde kalmış. Annem o zaman 7-8 yaşlarındaymış. "Allah ninenin sesini duydu" demiş herkes.

İşte o nine, çok okumuş, bilgili bir kadınmış. Başı sıkışan derdine derman olsun diye ona gidermiş. Ona en çok da zamanın ahirinde neler olacağını sorarlarmış. Zamanın ahiri dedikleri sanırım şimdi bizim yaşadığımız zamanlar oluyor. O da dermiş ki, "Evlerin boyu göğe değecek, içinde birbirini hiç tanımayan pek çok insan oturacak. Odanın ortasına bir kutu koyacaklar, dünyanın öbür ucundaki adamı kadını siz o kutudan göreceksiniz, ne dediğini duyacaksınız ama onlar sizi görmeyecek. İnsanlar demirden kutulara binip gökte gezecek, siz de onlara aşağıdan bakacaksınız.

Nüfus o kadar çoğalacak ki şehirlere sığmayacak, kimse kimseyi tanımayacak ama insanlar çoğaldıkça savaşlar da artacak.

Kim bilir daha neler söylemiş ninemiz ama benim aklımda kalanlar bunlar. Nasıl da bilmiş değil mi geleceği. Gerçekten de ileri görüşlü bir kadınmış ninemiz. Ben, gelecekte neler olacak diye bir tahmin yapsam, nine kadar başarılı olamam ama bildiğim bir şey varsa o da dünya geliştikçe, insanların giderek yalnızlaşacağıdır. Şimdi kalabalıklar içinde yalnızız, o zaman hepten yapayalnız kalacak insanlık. Yalnız insan kendine yetebilir, mutlu, huzurlu, keyifli bir yaşam sürebilir mi derseniz, bence bunu yapamaz. Çünkü biz insanlar toplu halde yaşayan canlılarız. Bu özelliği bize doğa vermiş. Doğanın emri demiri keser.

Ayrıca biz insanlar birbirimizi her zaman etkiler ve etkileniriz. İhtiyaç duyduğumuz sevgiyi, şefkati, önemi, değeri ve onayı başkalarından almak isteriz. İçinde yaşadığımız yakın çevremiz, hemen ardından içinde yaşadığımız toplum bizim cansuyumuzdur. Başka türlü, susuz kalmış çiçekler gibi kurur, solar gideriz.

Eski filmleri seyretmeyi severim. Dünya ne kadar farklıymış o zaman! Vahşi, gizemli ama bir yanıyla da çok romantikmiş gibi gelir bana o zamanların dünyası. Atlar, develer, faytonlar, karanlık izbe sokaklar, ışıksız evler, ısınmak için yakılan ateşler, mumlar, gaz lambaları, insanların giydikleri garip giysiler, keçi yolları, bomboş dağlar, bayırlar, yemyeşil ormanlar, o ormanlarda elinde kılıçla, baltayla dolaşan acayip adamlar... Ne zor şartlarda yaşamış insanlar. Ama yine de o şartlarda bile kimi arada bir de olsa gülmüş, kimi hep ağlamış. Güçlüler zayıfları ezmiş böylece kimi ömür boyu ezilmiş, kimi de ezmiş.

Tıpkı şimdiki gibi...

Tıpkı hayvanlar âlemindeki gibi...

Demek ki şartlar ne olursa olsun, hangi devirde yaşarsak yaşayalım, düzen hiç değişmemiş. Güçlüler zayıfları ezmiş. Dünyada adaleti bir türlü sağlayamamış insanlık. Adaleti sağlamak istemiş de bunu bir türlü başaramamış mı yoksa adaleti sağlamayı zaten hiç istememiş mi, orası da belli değil. Sıra ölüme gelince, bir tek orada eşitlik sağlanmış. Ezen de gitmiş ezilenin yanına. İkisini de bir karış toprağın altına koyuvermişler.

Oysa bu dünyaya hepimiz bir ananın karnından, çırılçıplak ve ağlayarak doğuyoruz. Birbirimizden hiç farkımız yok. Üstelik bu dünya kedisiyle köpeğiyle, arısıyla börtü böceğiyle, balığıyla, kurduyla kuşuyla hepimizin. Milyonlarca yıldır bu güzelim mavi gezegenimizin efendisi olan insan, bu gerçeği bir türlü görememiş, görenler de dünyaya eşitliği bir türlü getirememiş.

Birilerinin ömür boyu çalışıp başka birilerinin de ömür boyu yiyip içip gezdiği bir dünya, bugün de, gelecekte de gerçekten mutlu, huzurlu bir dünya olamaz. Biri aç gezerken ötekinin kuş sütü eksik sofralardan kalkıp yemediğini çöpe döktüğü bir dünya ne açını ne de tokunu mutlu edebilir.

Hepimize ait olan bu dünyada ülkeler hâlâ birbirleriyle kıyasıya savaşıyorsa, birbirlerini daha çabuk, daha kolay öldürebilmek için silah sanayiine tonla para harcıyorsa, zayıfın, yoksulun, garibanın hakkını yemekten, onları sömürmekten hiç çekinmiyorsa demek ki zaman insanlara hâlâ bir şey öğretememiş.

Hani diyoruz ya, dünya şöyle gelişti, böyle gelişti, bilim ve teknoloji harikalar yarattı, uzağı yakınlaştırdı, olmazı oldurdu diye; günümüzde hâlâ açlıktan sefillikten çocuklar ölüyorsa, insanlar hâlâ trafikte yol vermedi diye birbirlerini öldürüyorsa, bin yıl önce ormanda belinde kılıçla, baltayla gezen adamdan ne farkımız var ki...

Bilim ve teknoloji insanın sağlığına, huzuruna, mutluluğuna, eşitliğine, özgürlüğüne hizmet edemiyorsa, savaşları, kıyımları durduramıyorsa, sadece parası olan kesime hizmet edip diğerlerini pas geçiyorsa bizim sevinçlerimiz, mutluluklarımız hep yarım kalacak demektir.

Salgın bize bu konuda çok şey öğretti aslında. "Dünyanın öbür ucundaki gelişmemiş, yoksul ülkelerin başı kabak, ayağı çıplak, zayıflıktan bir deri bir kemik kalmış çocukları Covid 19 nedeniyle ölüyorsa, siz ne yaparsanız yapın, bu salgından kurtulamazsınız" diyor bize bu virüs. Bakalım dünyalılar hiç olmazsa bu sefer hayatın sesini duyabilecekler mi?

Hanife nasıl kurtulur?

Geçmiş yıllardan birinde bana gelen genç bir kadın, Hanife, söze şöyle başlamıştı:

"Hocam, ben iki arada bir derede kaldım. Boşa koyuyorum dolmuyor, doluya koysam almıyor. Ne yapacağımı şaşırdım. Herkes bir akıl veriyor, ona da benim aklım yatmıyor. Beş yıllık evliyim. Liseyi bitirdiğim yıl üniversite sınavlarını kazanamayınca babam beni hemen evlendirmeye kalktı. Yaşım daha 18 bile olmamıştı. Benim de aklım okula gidip gelirken tanıştığım Rahmi'deydi zaten. Annem biliyordu ama babama korkudan söyleyememiştik. Rahmi benden beş yaş büyüktü ve bir süpermarkette çalışıyordu. Ailemin ise gözü yükseklerdeydi. Aslında ben de isterdim işi gücü daha iyi biriyle evlenmeyi ama babamın beni vereceği tipleri aşağı yukarı tahmin edebiliyordum."

Dikkatle dinliyorum Hanife'yi. Beyaz tenli, karakaşlı, kara gözlü, temiz yüzlü bir kız. Başındaki renkli türbanı çok özenle bağlamış.

"Bir de hocam, kalabalık evlere gelin gitmekten korkuyordum. İnsanı oralarda hizmetçi ediyorlar. Evin gelini misin, herkesin hizmetçisi mi, belli değil. Rahmi bekâr evinde oturuyor, kendi kazanıp kendi yiyordu. O yıl alım satım tarafına geçince maaşı da arttı. Birbirimizi çok seviyorduk. Babam bu işe razı gelmese de annemin de araya girmesiyle evlendik.

İlk zamanlar her şey çok iyi gidiyordu. Hemen kızım dünyaya geldi. Rahmi de düşkündür kızına.

Kızım bir yaşına gelmeden ben hastalandım. Önce pek ciddiye almamıştım ama bir gece aniden fenalaşınca Rahmi beni apar topar hastaneye götürdü. Meğer bağırsak düğümlenmesi olmuş bende. Daha o gece doktorlar beni acil ameliyata aldılar. Gözümü bir açtım ki, kolumda serumlar, her yerimde hortumlar, bambaşka biri olmuşum. Nasıl korktum, size anlatamam. Ölüyorum sandım. Yüzüm sapsarı olmuş, elim kolum kalkmıyor. Bir yandan da aklım evdeki kızımda. Evde desem de Rahmi zaten beni hastaneye getirmeden önce kızı anneme bırakmıştık.

Çocuk huysuzlanmış. Yabancılamış anneannesini. Daha küçük ne de olsa. Annesini arıyor çocuk. Annesi de yataklara serilmiş, gözü toprağa bakıyor. Her gün hemşireler yaralara pansuman yaparken kuş gibi çığırıyorum.

Ne de olsa işin ucunda annelik var. İnsan ölürken bile aklı bebeğinde oluyor. Getirin, bir göreyim diyorum, kokusu burnumdan gitmiyor zaten, onu da getirmiyorlar. Doktorlar izin vermiyormuş. O zaman bana söylemediler ama bebek o ara çok zayıflamış. Neredeyse o da ölüyormuş."

Daha bir yaşını doldurmayan bir bebek, aniden annesinden ayrılırsa hemen hastalanır zaten, diyorum içimden. O bebek de en az senin kadar acı çekmiştir o dönemde. Hatta bazılarının bu yüzden bağışıklık sistemleri o kadar zayıflar ki, kimi de ölür.

Acıyı anlatırken acı insanın yüzüne, en çok gözlerine yansır. Hanife'nin ne dediğini duymasam bile, onun acıyı anlattığını hemen anlardım. Acının kokusu geliverir insanın burnuna.

Hanife kaldığı yerden anlatmaya devam ediyor.

"Çocuğun durumu kötüleşince sonunda, belki de kız evini, kendi odasını, yatağını arıyordur, bebek evinde daha rahat olur, diye annem onu da alıp bizim eve taşındı.

Bir ay kadar sonra beni yoğun bakımdan çıkarıp normal odaya aldılar. İşte o zaman annem kızımı getirdi bana. Ahh, size o günü nasıl anlatayım doktor hanım, çocuk beni tanımadı, ben çocuğu. Bana bir ağlama geldi, biraz da bir aydır çektiğim acıdan mıdır nedir, yatakta çocuk gibi bağıra bağıra ağlıyorum. Ben böyle ağlayınca korktu çocuk. O da başladı ağlamaya. Hemşireler koşup geldi başımıza, ne oluyor burada diye.

Neyse sonra sonra aklım başıma geldi ama beni iki ay daha yatırdılar hastanede. Bu meret hastalık, yapılan ameliyat meğer çabuk düzelmezmiş. Üç ayın sonunda ben hastaneden çıkabildim ama nerede eski ben, nerede şimdiki.

Annem bizde kalmaya başladıktan sonra, ev de zaten küçük, bütün düzenimiz altüst oldu. Rahmi eve geç gelmeye o sıralar başladı. Zaten ben hastanedeyken de yalnız eve gelmek istememiş. İş çıkışı arkadaşlarıyla buluşup içki içiyorlarmış. Ben iyileşince annem kendi evine gitti. Ama Rahmi bu alışkanlıktan bir türlü kurtulamadı. Zaten aldığı parayla zar zor geçiniyorduk, araya bir de içki girince iyice daraldık. Bizim kavgalarımız ve bana gösterdiği şiddet de işte o zaman başladı."

Maddi yetersizlik gerçekten de pek çok ailenin dağılmasına neden olabiliyor. Başka nedenlerle zaten gergin olan ipler, üstüne bir de parasızlık eklenince kopabiliyor.

Şiddet konusuna odaklanmalıyım.

"Eşinden şiddet görüyorsun yani!"

"Hem de nasıl. Eskiden de kızınca ufak tefek vurmaları olurdu ama şimdi, hele de içki içtiği zamanlar artık ondan korkuyorum. Düşmanına saldırır gibi vuruyor bana. Gözü hiçbir şey görmüyor. Bir gün elinde kalacağım diye korkuyorum. Bizim kız da sesimize uyanıyor, çok korkuyor. Yapma, bak kızı da korkutuyorsun diyorum ama öyle zamanlarda kulağına laf söz girmiyor. Bu iş böyle devam edemez, bunun farkındayım ama elimden gelen de bir şey yok. Birkaç kere çok dayak yediğim günlerin sabahı kızı da alıp bizim eve gittim. Hemen ertesi gün dayandı kapıya. Yine suçlu ben oldum. Ailesi filan da girdi devreye. Karı koca arasında olur böyle şeyler. Bu kadar büyütme. Hadi sen neyse de çocuğunu da mı düşünmüyorsun diyorlar. Düşünmez miyim? Aslında en çok onu düşünüyorum. Ayrılsam, babamın evinin bizim evden farkı yok zaten. Biz küçükken babam da annemi çok döverdi. Gerçi bizi de döverdi de, en çok annemi. Şimdi bile hâlâ kızınca kadının neresine denk geldi diye bakmaz, vurur bir tane. O evde çürüyeceğime, kocamın evinde çürürüm daha iyi.

Hadi öyle böyle ayrıldım diyelim, bizimki peşimi bırakır mı? Zaten, ayrılmak ne demekmiş, ben seni yaşatır mıyım, filan deyip duruyor. Ayrılıp hemen başka biriyle evlensem, bu sefer de kıza üvey baba ne yapar, o kurcalıyor kafamı. Her gün televizyonlarda neler duyuyoruz. Üvey babalar çocuklara neler ediyormuş. Ben kızımı başka bir adamla aynı eve nasıl koyarım? İçlerinde çocuklara tecavüz eden bile var. Hem ben kocanın iyisini hemen nereden bulacağım. Bir yere girip çalışayım desem, bugüne kadar hiçbir yerde çalışmadım. Becerebilir miyim, bilmem ki..."

O gün genç kadın uzun uzun içini döktü bana. Aslında bir çıkış yolu bulabilse eşinden ayrılmakta kararlıydı çünkü bu evlilik devam ettiği sürece hayati tehlikesi de hep olacaktı. İşin kötüsü aynı tehlike ayrılırsa da vardı.

Olayı biraz daha araştırdığımda, eşi Rahmi'nin onlar henüz evlenmeden, sadece arkadaşken de her şeye çabuk kızdığını, en çok da aralarında kıskançlık kavgaları yaşandığını, arada bir de ufak tefek şiddet uygulamaları olduğunu öğrendim.

Bir insan, ufak tefek bile olsa, ilişkinin daha başında sevgilisine şiddet uygulayabiliyorsa, evlenince o kadının şiddet göreceğine kesin gözüyle bakabiliriz. Genç kızlarımız, özellikle baba evinde şiddete aşina olanlar ilk günler bunu doğal karşılayabiliyor. Şiddete alışkın olmayana yüksek sesle bile konuşsanız bundan çok rahatsız olur, ürker ama dünyaya gözlerini açtığı gün şiddetle tanışmışsa, bunu hayatın doğal akışı, erkeklerin olağan özelliği gibi algılayabilir.

Gençken hiçbirimiz hayatı tanımıyoruz. Hayat bizler için doğduğumuz evlerden ve yakın çevremizden ibaret. Üstelik dayak yiyen bu genç kadını dünyaya getiren kadın yani annesi de yıllardır evde eşinden şiddet görse de, belki çaresizlikten, belki toplum ne der korkusuyla, belki de alışkın olduğu yaşam şekli bu olduğundan evliliğini devam ettirmiş.

Yine gençken aşk bizler için çok değerli ve vazgeçilmez oluyor çünkü birine âşık olmaktan çok birinin bize âşık olması, bizi toplumdaki herkesten çok farklı bir yere koyması, yüceltmesi, hep bizi düşünmesi, bize kendimizi çok özel hissettiriyor. Hiç olmadığı kadar özel... Hatta belki de ilk kez özel, önemli ve var olduğumuzu hissediyoruz. Ona çok güveniyor ve inanıyoruz. Ona inanmak, bu üstün özelliklerin sahibi yapıyor bizi. Gel de inanma...

Bizi bu kadar önemli ve özel hissettiren biri, bizi çok sevdiği, gözünden bile kıskandığı, ayrı kaldığımızda çok özlediği için arada bir kızsa da, canımızı yaksa da, bütün bunları bize olan aşkından yapıyor, hep beraber olabilsek nasıl olsa yapmaz diyoruz, değişir diyoruz. Biz değiştik mi ki o değişsin; demek hiç aklımıza gelmiyor çünkü her zaman olduğu gibi gerçeği aramak yerine inanmak istediğimize inanıyoruz.

Aklımıza gelmeyen başka şeyler de var. Dünyanın bin bir türlü hali var. Bu evlilik devam etmez de ayrılırsak başımıza neler gelecek?

"Bir mesleğim yok, işim yok; kendimi ayakta tutabilecek, kendi hayatımı özgürce sürdürecek hiçbir şeyim yok. Evlilik yürümedi diye çocuğumu da alıp geri dönebileceğim bir baba evi de yok. Acaba ben önce kendimi kurtarsam da evlenmeyi öyle mi düşünsem, bu çocuk daha evlenmeden bana böyle yapıyorsa, sonra neler yapmaz" demek hiç aklımıza gelmiyor. Biraz da çevre bizi bu konuda cesaretlendiriyor. Böyle yapan sadece biz miyiz? Pek çok arkadaşımız böyle yapmıyor mu? Bir de yalnızlık korkusu var. Yalnızlığı erkekler de sevmez kadınlar da ama kadınlar yalnızlıktan korkar. Çocukluğundan beri çoğu kadın hiç yalnız kalmamıştır. Hayatı önce ailesinin, sonra da eşinin himayesinde geçmiştir. Sadece bu korku nedeniyle evliliğini sürdüren pek çok kadın var ülkemizde.

Hanife'ye geri dönecek olursak, onunla görüşmelerimiz yıllarca devam etti. Bazen yılda bir kere geldiği oldu, bazen çok daha sık. Ama sonunda Hanife çaresizliğe teslim olmadı. Önce küçük bir butikte işe girdi. Eşi önceleri çalışmasına itiraz etse de sonra alıştı. Orada dikiş dikmeyi, insanlarla güzel ilişkiler kurmayı öğrendi. İyi bir çevre edindi kendisine. Sonra patronu ikinci bir dükkân daha açarken Hanife'yi de işe ortak etti. Bir süre sonra eşi de ayrıldı işinden ve birlikte çalışmaya başladılar.

Hanife'nin kendine olan güveni arttıkça eşiyle ilişkileri de hızla düzeldi. Şimdi arada bir eşi bana şikâyet ediyor Hanife'yi, "Çabuk kızıyor hocam, kızınca ne dediğini bilmiyor" diye. Ben de içimden, "Şiddet onun kanında var. Önce babası, sonra kocasıyla şiddetin her türlüsünü yaşamış. Şiddet görmezse, bunu kendisi göstermenin bir yolunu bulur nasıl olsa" diye düşünsem de bunu Rahmi'ye söylemiyorum.

Hikâyeyi okurken Hanife'nin daha ilk günden babasına çok benzeyen birine âşık olduğunu sizler de gördünüz sanırım. Eğer duruma bir çare arayışına girmeseydi o da ya annesinin kaderini yaşayacak ya da çok daha vahim durumlarla karşılaşacaktı. Hani hep diyorum ya, bize geçmişte yaşadığımız acıların bir benzerini yaşatacak kişileri gözünden tanır ve gidip onlara âşık oluruz, diye...

Ancak Hanife kader motifine teslim olmadı. Hayatla kıyasıya mücadele etti ve sonunda başardı. Hayat bizi kader motifimizle türlü türlü sınavlara sokuyor. Bu sınavların belki de en zorlusunu, bir aile kurmaya karar verirken yaşıyoruz. Ya o çok büyülü aşka kapılıp başka hiçbir şey düşünemez hale geliyor ve evleniyoruz veya öyle ya da böyle bir yuva kurayım da gerisini sonra düşünürüm diyoruz. Bir an önce baba evinden kurtulma çabası da çoğu zaman bu kararlarda etkin oluyor.

Aslında bugünün işini yarına bırakmasak, biraz da yalnızlıktan korkmayarak önce düşünüp sonra karar versek ne güzel olur, değil mi? Ama bunun için de önce, bizi her adımımızda takip eden kader motifimizin farkına varıp, var gücümüzle kaderimizi yeniden yazmak için çabalamamız gerekiyor galiba...

Bu arada o ailede dünyaya gelecek çocukları da unutmayalım çünkü o çocukların kaderi de bizim alacağımız her türlü karardan çok etkileniyor.

İlahi adalet

Her ne kadar dünyanın adaletsizliğinden yakınsam da, yıllardır insanları dinledikçe gördüm ki, hayatın kendine has bir adaleti var; ilahi adalet...

Bundan önceki kitaplarımda da hep bunu anlatmaya çalıştım çünkü hayatın öyle gerçekleri var ki, bunların var olduğunu bilmek bile bizlere güç, güven ve umut veriyor. Bunu, hızla akan hayatın içinde oradan oraya koştururken göremiyor insan. Adaleti hemen, o anda görmek istiyoruz ama hayat bizim kadar aceleci değil. O neyi, ne zaman yapacağını çok daha iyi biliyor.

Ödül de ceza da duygularımız aracılığıyla geliyor bize.

Öyle zamanlar oluyor ki, hayatın bize vermediği cezayı bir yolunu bulup biz kendimize veriyoruz. Ben buna "otosabotaj" diyorum. Yani kendi hayatımızı sabote ediyoruz. İnsan dediğin bunu bile isteye kendine yapar mı? Hayır dediğinizi duyar gibiyim. Ben de önceleri buna inanmakta çok zorluk çektim ama sevgili hastalarım bana bunun o kadar çok örneğini gösterdi ki, sonunda bunun da bilinçdışının bize oynadığı bir oyun olduğunu anladım.

Ve sanırım ben yazdıkça, siz okudukça her biriniz psikolog kesildiniz başıma (böyle olması beni çok mutlu ediyor) ve belki de benden önce bu cezaları bize suçluluk duygularımızın verdiğini anlayıverdiniz.

Bu da beni çok üzen durumlardan biri çünkü suçluluk duygularının altında ezilen ve kendini cezalandıran, kendi hayatını sabote eden bu insanların pek çoğu aslında suçsuz yani masum. Zamanında birileri onu o kadar suçlamış ki, artık o da kendine onu suçlayanların gözüyle bakar olmuş.

Diyeceğim o ki, bir kişiye bile, aslında böyle bir cezayı hiç hak etmediğini, eğer isterse bunu değiştirebileceğini bu kitaplar anlatabilirse, işte o zaman dünyalar benim olur.

Duygularımız da tıpkı Covid 19 gibi salgın yapar. Biz gülüyorsak, insanların içine huzur yayılır. Eğer çevreye yaydığımız duygu öfkeyse, şiddetse, öyle dönemlerde şiddet kol gezer dünyamızda.

Bunun en iyi örneğini toplumlar bu salgın döneminde gösteriyor bize zaten. Cinayetler, kavgalar, yaralamalar, çalmalar çırpmalar, soygunlar, tacizler, tecavüzler hem ülkemizde hem de dünyada ne kadar arttı, hepiniz farkındasınız değil mi?

O günkü haberleri okumaya korkar olduk, acaba bu sefer kim kime şiddet uyguladı, hangi kadın kocası ya da hiç tanımadığı biri tarafından öldürüldü diye. Şiddet şiddeti çağırır her zaman. Sevginin, merhametin, bir küçük gülümsemenin de barışı, kardeşliği çağırdığı gibi.

Bir bebek sevilmediği, istenmediği, değer verilmediği, güvenebileceği bir sahibinin olmadığı bir dünyaya gözlerini açarsa, sonradan bu dünyaya güvenmesini, huzurla, keyifle, etrafa sevgi ve şefkat saçarak yaşamasını bekleyemeyiz. Hele bir de evinde şiddet gördüyse, aşağılandıysa ya da şiddete tanıklık ettiyse, şiddet artık onun vazgeçilmez doğrularından ve alışkanlıklarından biri haline gelir.

Her şeyi varsa bile anne babası tarafından ihtiyaç duyduğu sevgiyi, ilgiyi, değeri göremeyen yani ihmal edilen çocuklar ise duygusal ihtiyaçlarını bazen gereksiz alışveriş yapıp dolapları doldurarak, bazen durmadan yemek yiyerek, bazen de madde kullanarak doyurmaya çalışırlar.

Issız evlerin çocuklarının trajedisi ve ilk aşk

Bir mektup aldım, bu mektubu sizlerle paylaşmak istiyorum. Okurken çok etkilendim. İlk aşkın izlerini buldum o mektupta. Çok gençken yaşananlar, çocukken yaşananlar kadar derinden etkileyebiliyor bizi. Adeta kaderimizi, hayat yolumuzu değiştiriyor.

Bazen olaylar öyle bir içine alıyor ki, kendimizi öylesine çaresiz hissettiriyor ki, bu çaresizlik sonradan üstümüze yapışıp kalabiliyor.

Bakalım okuyunca siz ne düşüneceksiniz?

Merhaba Gülseren Hocam,

Ben Songül, size daha önce de yazmıştım ama o zaman kendimi yanlış anlatmışım. Olsun, bana cevap vermeniz bile benim için önemliydi. Nasılsınız hocam? Sizi yakından takip ediyorum, umarım iyisinizdir. Size kendimi anlatmak istiyorum. Bu fırsatı bize verdiğiniz için ayrıca teşekkür ederim.

Hocam ben 28 yaşında üniversite mezunu bir kızım. Mezun olalı koca 6 yıl geçti ama hâlâ işsizim ve bekârım. Üzerimdeki toplum baskısını düşünün. Evlenmiş olmak için evlenmek istemiyorum hocam, sevmek sevilmek istiyorum ama onu da beceremiyorum galiba.

Hocam ben bu hayatta hep sevmek ve sevilmek istedim. Küçüklükten beri hep bunun hayalini kurdum ama maalesef olmadı. Hayatımda bir tane erkek arkadaşım oldu, tek olsun son olsun kafasındaydım ama öyle olmuyormuş hocam.

Üniversite üçüncü sınıfta hayatıma biri girdi. Oh dedim, demek beni de seven biri çıktı. O güne kadar yaşadığım bütün sıkıntılar bitti, sanki aniden bir güneş doğdu dünyama. Onunla yakın akrabayız. Bir yıl sürdü ilişkimiz. Çok üzülsem, çok kırılsam da 28 yılın içinde bir tek o yıl, yaşadığımı hissettim. Onu bilmem ama ben onu çok sevdim. Baştan her şey iyi gidiyordu ama sonra ne olduysa oldu ve biz ayrıldık. Neden ayrıldığımızı hâlâ bilmiyorum. Ama bu işlerde aileler arasında çok laf söz oluyor. Artık kim ne dedi, kim laf taşıdıysa, olan bana oldu.

Ayrıldık ama mesajlarla, telefonlarla benimle ilişkisini bir şekilde sürdürdü. Ben zaten ayrıldık diye üzüntüden perişanım, ben de mesajlarına cevap verdim. Bana hep beni sevdiğini söyledi. Söyledi ama bir gün de evimize gelip ben buradayım demedi. Ardından tehditler başladı. Başka bir erkek hayatına girerse çok fena şeyler yaparım, filan diye tehdit etti beni. Ben de bunlara boyun eğdim. Ne de olsa ben de seviyordum onu. Zaten hayatıma kimsenin girdiği filan da yoktu.

Ama bir gün yeni bir sevgilisi olduğunu duydum. Ah hocam, o günü size nasıl anlatsam bilmem ki... Kalbime bir hançer saplandı, bir türlü çıkmıyor. Meğer kızı ailesi bulmuş ve yine akrabalardan birinin kızıymış.

Sonra duydum ki, bizimki nişanlandı, düğün yapacak. Madem senin niyetin başka, hâlâ niye mesaj yazıp beni ümitlendiriyorsun. Bu da yetmezmiş gibi sanki beni sinir etmek için her şeyi gözüme soka soka yaptı. Sosyal medyada görebileceğim her yere attı fotoğraflarını. Baksam bir türlü, bakmasam başka türlü... Ben bu sürede acıyla olgunlaştım, sabrı öğrendim hocam. Düğün davetiyesini bile getirdiler kapımıza kadar. Kalbimin sesini duyar oldum hocam, o acı hiç geçmeyecek sandım. Ve düğün salonu benim mahallemdeydi. Başka düğün salonu kalmadı sanki...

Bütün akrabalar gelecek düğüne, kimi de bizde kalacak. Biz hemen apar topar şehri terk ettik. Bir tanıdığın evine misafirliğe gittik. Herkes yüzüme bakıyor, kalbimde hançer ve ben hiçbir şey olmamış, normalmişim gibi davranıyorum. Sonra sabah kahvaltı yapıyoruz ve babam aradı, düğün iptal olmuş diye. Artık nasıl heyecanlandıysam, elimdeki çay bardağı düştü hocam. Ama ilahi adaletin olduğuna bir kere daha şahit oldum. Kalbimde duran hançer bir anda çıktı gitti. Sevincimden ayaklarım yere değmiyor. Gizli gizli döktüğüm gözyaşlarım kurumuş, bu sefer de mutluluktan ağlıyorum.

Akşam bile olmadan bundan mesaj geldi hocam. "Bana ettiğin beddualar tuttu ama teşekkür ederim" diye. Ben cevap vermedim çünkü korkuyorum, nikâhlı adam, sadece düğün iptal. Bir mesaj daha geldi "Konuşmamız gerek" diye. Tabii annem sakın bir şey yazma diye tembih ediyor, ne olur ne olmaz diye. Bu mesajlar bir hafta aralıklı sürdü. Her mesajında yüreğim yerinden çıkacak gibi oluyor. Bir yandan da tekrar barışırlar da ben yine ortada kalırım diye korkuyorum.

Ben reddettikçe yeni hesaplar açtı, oradan yazmaya başladı. Sonra korktuğum oldu. Araya büyükler girince bunlar yine barışmış. Tabii hançer havada bekliyor. Yine girdi yüreğime. "Bunların barışacağı belliydi zaten, niye üzülüyorsun" filan diyorum ama yüreğime bir türlü laf geçiremiyorum. Madem niyetin baştan belli, beni niye rahat bırakmıyorsun, neden seni unutmama izin vermiyorsun be adam! Bıraksan, belki ben de yeniden sevilmenin bir yolunu bulurdum.

Derken düğünleri oldu, boy boy resimleri kondu her yere. Ben de bir başıma kaldım işte...

Aradan üç ay geçmeden sahte hesaplardan istekler, mesajlar gelmeye başladı. Ben mutsuzum, sizi tanımak istiyorum diye. Anladım onun olduğunu, hepsini kapattım. Ama sosyal medyada her yerde o var, karısı var. Sonra bir de oğlu oldu.

Şimdi herkes kendi hayatını yaşıyor ve ben hâlâ yalnızım.

Bir türlü beceremedim sevilmeyi. İlişki başlıyor ama devam etmiyor. Çabuk vazgeçiyorlar benden. Bari işimde başarılı olayım diye çok uğraştım, çok çalıştım ama hâlâ bir yere atanamadım. Ailemin evinde işsiz güçsüz oturuyorum hâlâ. Herkesin gözünde başarısızım. Ne evlenip bir yuva kurmayı becerebildim, ne de düzgün bir iş sahibi olabildim.

Bizim evimiz hem sessiz hem de ıssız bir evdi hocam. Ailede saygı vardı ama sevgi yoktu. Ben annemle babamın birbirlerine sevgiyle baktığını da bilmem, kavga ettiğini de... Sanki dil bilmez ahraz gibiydiler. Bundandır belki de çok sevilmek, çok sevmek istemem. Tek başına olmaktan yoruldum. Çevremdeki herkes evlendi gitti. Bir ben kaldım. Çok mücadele ettim hayatla ama bu sefer kendimde ayağa kalkacak gücü bulamıyorum.

Eski sevgilimi affedemediğim için biri hayatıma girmiyor ya da giren durmuyor dedim. Sonra onu da affettim. O hayallerini yaşıyor, oğlunun olmasını çok istiyordu, Rabbim ona oğlan çocuk vermiş. Rabbim onun dualarını kabul etmiş de benimkileri etmemiş.

Peki ama bu hikâyede yanan neden ben oldum? Ben cevabı çok düşünsem de bulamıyorum hocam. Siz biliyor musunuz, neden ben yandım?

Beni dinlediğiniz için teşekkür ederim.

Songül

Mektubu okuyunca ilk aşklar geliyor aklıma.

Sanırım çoğumuz ilk aşklarımızı hiç unutmadık. İyisiyle kötüsüyle, kırılmalarımızla, heyecanlarımızla zihinlerimizin bir köşesinde durmaya devam ediyor.

İlk aşklar bizlerin öncelikle kendimizi keşfettiğimiz zamanlardır. Dünyaya daha yeni merhaba demişken, biri tarafından beğenilmek, sevilmek, hem de çok sevilmek bizi bizimle tanıştırır, tanıştırırken barıştırır, yepyeni biri oluruz.

Dünyayla, hayatla kurulan ilk önemli bağdır ilk aşklar. Duygusal bir bağ... Demek sadece evimizdekiler değil, hayat da sevecek, kabul edecek, onaylayacak bizi. Daha önce soru işaretleriyle, kaygılar, korkularla dolu zihnimize bir güneş gibi doğar o ilk aşklar.

Karşımızdakinin kim olduğu o kadar da önemli değildir. Ama çok daha başka ve çok daha önemli bir şey vardır bizim için. O güneş içimizi ısıtmış, korkularımız, kaygılarımız bir süre de olsa kaybolmuştur. "Oh be" deriz, "meğer yaşamak ne güzelmiş! O kadar da korkulacak bir yer değilmiş bu hayat..." Aşk, ayaklarımızı yerden keser, sırtımızı dikleştirir, gözlerimizi parlatır bizim. Aynalarda gördüğümüz yüzü daha çok beğenir, daha çok severiz.

Dilimize dolanan şarkılar vardır, hatta şarkıların hepsi bizi söyler. Gece uyuyamamanın, sabah yataktan sıçrayarak uyanmanın bile tadı başkadır. Dertmiş, tasaymış, hayatın bize salladığı sopaymış... Hepsi boş. Bizim çok daha önemli, çok daha keyifli, hatta hayati bir meselemiz var artık.

Önce o...

İşte böyledir ilk aşklar.

Ama geleceğimiz, gelecekte yaşayacağımız ilişkiler, ilişkilerdeki başarı ya da başarısızlıklarımız, hatta eğitim hayatımız, mesleğimiz, işimiz gücümüz, sonradan kuracağımız ailemiz... İşte bunların hepsinin üzerine o ilk aşkta yaşadıklarımızın gölgesi düşer.

Hayatımız birbirini izleyen zincirler gibidir. Eğer halkalardan biri eğri duruyorsa, sonrakilerin de yönünü değiştirir.

Songül'de de öyle olmuş. Doğduğu evde yaşayamadığı her şeyi gelecekte karşısına çıkacak sevgiliden beklemiş. Bunu o kadar çok istemiş, o kadar çok hayal etmiş ki, gerçeklere kapatmış gözlerini. Ayakları yerden kesilince, öyle kapatmış ki o gözleri, ilişkinin neden bittiğini bile hâlâ bilmiyor. Bir yıl aslında karşısındakini tanımak için uzun bir zamandır. Ayrılmışlar, aradan yıllar geçmiş, o zaman bile hayal dünyasından kopamamış.

Songül öyle ıssız, öyle sessiz ve sevgisiz bir evde büyümeseydi, sizce yine böyle yapar, kendini böyle bir çıkmazın içine sokar mıydı? Anne babası kızlarının biraz arkasında dursa, onu sevse, yüceltse, kızcağız biraz kendine güvenebilse, bugün o karanlıkların ortasında kalır mıydı?

Oldukça kalabalık bir dünyada yaşıyoruz ve yaşamımız boyunca kimileri sevgilileri tarafından terk ediliyor, kimileri ise bu arada sadece sevgiliyi değil dünyayı terk edip öbür tarafa göç ediyor. Yani bu hayatın tadı olduğu kadar tuzu da var. Aslında biz insanlar, acılarla yoğurulurken o tadı kaçırmamanın peşindeyiz.

Ama o hançer ilk seferde yerle bir etmiş kızcağızı. Zaten Songül o ıssız evde büyürken aslında hep o hançerin hedefindeymiş. Bu olmazsa bir başkası zaten kalbinin orta yerinden vuracakmış kızı. Kalkanı yok ki onu korusun, hançerin bu kadar derinlere saplanmasına mâni olsun.

Aklıma yıllardır hayatımın büyük bölümünü geçirdiğim klinikteki kırmızı odam geliyor. Arada bir koca bir hançer yığını görürüm ben o odada. Gelenlerin çoğu yüreklerinde duran hançerden kurtulmak için gelirler oraya. Çoğu o hançeri kırmızı odaya bırakır, öyle gider.

Acıları paylaşırken benim de içim sızlar. O hançerler kalbe girerken olduğu kadar çıkarken de çok acıtır insanı ama sonunda artık yerinden çıkmıştır. Yaralar kapanır, bize de akşam olunca o hançerleri oradan süpürüp atmak kalır.

Düşünüyorum da, demek ki ben her akşam onun için o odadan çıkmadan önce bütün camları açar, uzun uzun gökyüzüne bakmadan çıkamam oradan.

Songül o içli mektubunda, aslında çoğu genç kızımızın kimselere anlatamadığı, içlerini parçalayan dertlerini dile getirmiş. Issız evlerin çocuklarının trajedisini anlatmış.

Oysa hayatı bizler duygularımızla yaşarız. Kızarız, küseriz, severiz, nefret ederiz, sitem ederiz, heyecanlanırız, telaşlanırız, seviniriz, coşarız ama hayat hep bu zikzakları sever. Duygularımız bizim tarafımızdan hep kullanılmak ister. Kullanılmazsa kurur, paslanır, gözlerimize öyle bir perde iner ki, herkesin gözünü kamaştıran güzellikleri göremez, hayata olan tutkumuzu kaybederiz.

Geçmişinize dönüp şöyle bir düşünürseniz, ne demek istediğim sanırım daha iyi anlaşılabilecek. Hepimizin hayatında irili ufaklı o zikzaklar yok mu?

En çok da yönü aşağıya bakan zikzağın bu sefer de ucu yukarı dönerse sevinmiyor muyuz?

Kaybedince üzülüp bulunca gözlerimiz parlamıyor mu?

Her kayıpta yıkılıp, yıkıla yıkıla yürümeyi öğretmiyor mu hayat bize?

Tünelin ucundaki ışığı görmek için az mı bekledik, az mı çabaladık?

Hayat zikzaksız, dümdüz oluverseydi, hep onu hayal etsek de, çok sıkılmaz mıydık?

Sonuç olarak doğa işini biliyor. Her zaman olduğu gibi yine var bir bildiği...

Songül'ün geçmişte yaşadığı ya da yaşayamadığı o ilk aşkın gölgesi düşmüş, geleceğine. Aslında o gölgeyi Songül düşürmüş. Bunu sadece o değil, zaman zaman hepimiz yapıyoruz. Hani diyor ya, ben bulamıyorum o sorunun cevabını diye... Cevaplar hikâyede saklı zaten.

Önce doğduğu evde, sonra da ilk aşkında yaşadığı başarısızlığın, sevilmemenin acısı, iş başarısını da etkilemiş. Boynu bükük, kendine güvenmeyen, yüzü gülmeyen, hayata sitemkâr bir kız olmuş sonunda. "Neden sadece ben yandım?" derken hepimiz hissediyoruz onun hayata olan sitemini.

Onun yazdıklarını okurken boğazım düğüm düğüm oldu. İçinin nasıl yandığını, kalbine saplanan hançerin her yerini nasıl acıttığını, nasıl kanattığını ta içinde hissediyor insan.

İçine girdiği girdaptan bir türlü çıkamamış. O ilişkide uğradığı haksızlığı, yenilgiyi, sevdiği adamın onu nasıl kullandığını, nasıl oyaladığını, bütün bunlara kendisinin nasıl dur diyemediğini, o girdaptan çıkmak mümkünken nasıl çıkamadığını bir türlü içine sindirememiş.

Süre uzadıkça o mağlubiyet duygusu içine nasıl da yerleşmiş Songül'ün.

Affettim derken aslında ciğerinin hâlâ nasıl alev alev yandığını kimselere anlatamamış.

Bu konuda hiç yalnız değilsin Songül. Senin yaşadıklarına benzer acıları ülkemizde pek çok genç kız yaşıyor maalesef. Anne babalarımızdan, teyzelerimizden, dayılarımızdan, halalarımızdan bile çok duyduk biz bu hikâyeleri. Sadece senin değil, insanlığın hikâyesi bu.

Gençken, hem de çok gençken yaşanan hayal kırıkları hepimizi çok yaralar.

Ne de olsa ten taze, yürek taze...

Sen her girdiğin sınava, çok çalışsan da "Nasıl olsa buraya da beni almayacaklar", her yeni başladığın ilişkiye, "Nasıl olsa bu da beni terk edip başkasını bulacak" diye girersen, inan ki sonuç hiç değişmeyecek. Hep sen haklı çıkacak ama hep kaybedeceksin.

Biraz da haklı çıkma, bu sefer de sen yanıl. Bırak da hayat seni şaşırtsın.

Bugün sonuna kadar inandıkların doğru değil aslında. Her yeni gün yeni bir başlangıç, her bitiş yeni başlangıçların habercisidir.

Ama vazgeçersen, işte o zaman sonsuza kadar hak verir sana hayat. Sadece hak verir ama. Sen sevilmeyeceğine, başaramayacağına inandıkça, hayat hemen ikna olur buna ve onaylar. Hayat duranı sevmez, çalışanı, uğraşanı, onunla mücadele edeni sever. Bir yıkar, iki yıkar, üç yıkar... Sonunda pes etmeyi de bilir. İşte o zaman yokuşlar iniş olur, karşından esen rüzgâr arkana geçer.

Herkesin kaderi güzel olmuyor Songülcüğüm, marifet, kader yolları kapatsa bile o kapıya yeni bir anahtar uydurabilmekte...

Görmüyor musun, hayat sınıyor seni. Kaldır başını, "Ben varım!" de.

Gözlerindeki ışıltıyı silen geçmişin izlerinden kurtul, gözlerini yeniden parlat ki, hayat seni bir an önce görebilsin.

İşte böyle...

Gürültü patırtı eksik olmayan, vurulan kırılan evlerin çocuklarının trajedisi ayrı, ıssız evlerinki ayrı...

Yaşamak bir sanattır

Hayatı iyi yaşamak, mutlu ve sevilen olmak her zaman bir umut, bir ışık arar kendine. İnsanların kendine olan güvenini artırmak, onlara umut vermek, kendilerini iyi hissettirmek dünyanın en kolay işidir. Sıcak bir gülümseme, sevgi dolu bir dokunuş, onu beğendiğimizi, ona değer verdiğimizi gösteren ufak tefek jestler bile insanın ruh halini bir anda değiştirebilir.

Yıllardır hayatın sesinin bana söylediklerini sizlere aktarmayı neredeyse misyon haline getirmemin en önemli nedeni, bazı konuları eğer sizlere iyi aktarabilirsem geleceğimiz üzerinde etkili olabileceğimize, hem kendimizi hem de yaşantımızı yeniden inşa edebileceğimize olan inancımdır. Geçmişimizi iyi tanır, nereden, hangi koşullarda, hangi acılarla ve yaralarla bugünlere geldiğimizi görebilirsek zaten bu yolun bizi nereye götüreceğini de görürüz. Yaşam koşullarımız değişse de hayatımıza egemen olan duygunun hangisi olduğunu bulabilmekse, hakikate ermek kadar önemlidir.

Kendi gerçeklerimize erişebilmek, öncelikle başkalarının ne yaşadığını, bu noktaya nerelerden geldiğini, neler hissettiğini anlayabilmekten yani onlarla empati yapmaktan geçer. Bir başkasını anlamak bizi daha insan yapar. İnsan olduğumuzu hissetmekse, bizi kendimizle daha çabuk barıştırır.

Benim kitaplarımdan televizyonlara uyarlanan dizilerin amacı tam da bu zaten. Başkalarını anlarken, oralarda bir yerlerde kendimizle karşılaşıvermek... İnsan başkalarını her zaman daha kolay anlar, onların sorunlarına daha kolay çare bulur ama sıra kendine gelince şaşırıverir. Bu, hepimiz için böyledir. Buna psikiyatristleri ve psikologları da dahil edebilirsiniz. Hani derler ya, terzi kendi söküğünü dikemez diye, tam da o hesap işte.

Anneniz babanız psikiyatrist ya da psikolog da olsa, çok önemli kişiler de, asıl önemli olan size gösterdiği ilgidir, sevgidir, özendir. Doğduğunuz evlerde gördüğünüz sevgidir, şefkattir, merhamettir. O evde ailenin size verdiği değerdir, önemdir; çocuk bile olsanız size ve sizin haklarınıza gösterdiği saygıdır.

Her dediğinizi yapan, her istediğinizi alan, han dediğiniz yere hamam yaptıran, verdiği paranın hesabını sormayan, size hayatınız boyunca hiç sorumluluk vermeyen, disiplini, insana saygıyı öğretmeyen, aman oğlum, aman kızım yeter ki sen mutlu ol diyen ailelerden mutlu, başarılı, saygın, hayata iyi adapte olabilen, çevresini gözeten, çalışkan çocuklar pek yetişmiyor.

Aynı kural çocuklarını döverek, söverek, aşağılayarak, azarlayarak, ortalıkta gururunu kırarak disipline etmeye çalışan aileler için de geçerli. Çocuklukta görülen şiddet, sonradan o çocukları da şiddete eğilimli biri haline getirebiliyor.

Yıllardır bizim insanlarımızdan o kadar çok acılı hikâye dinledim ki, onlarla birlikte ben de o hikâyelerden o kadar çok etkilendim ki, istiyorum ki artık bizim insanımızın da yüzü gülsün. Mutsuzluğa teslim olmasın. Bizlerin asıl amacı her zaman birbirimizi sevmek, birbirimizi mutlu etmenin yollarını aramak olsun. Kara kara akan derelerin suyu yeniden ışıldasın.

Çünkü kimse pek fazla belli etmese de biz birbirimize çok benziyoruz.

Kocasından dayak yiyen profesör

Eskiden çok severdim bayramları. Çocukluk işte, bayramın gelmesini dört gözle beklerdik çünkü bayram bize hediyeleriyle gelir, biz de o hediyeleri başucumuza koyar, bir an önce sabah olsun diye dua ederek uyurduk.

Bizim çocukluğumuzda hayat bu kadar hızlı, bu kadar renkli ve kalabalık değildi. Belki de bu yüzden bizler için bayramlar, yılbaşı kutlamaları, doğum günleri o kadar önemliydi ki... Biz de o günlerin kıymetini bilir, tadını çıkarmaya çalışırdık.

Çocukluk, iyisiyle kötüsüyle hiçbirimizin hafızasından silinmiyor, değil mi?

Şimdi hep birlikte benim kırmızı odama gidelim bakalım. Bu günkü konuğum bana neler anlatacak...

Uzun boylu, kumral, saçlarını arkasında toplamış, dudağındaki pembe rujdan başka makyajı olmayan, güzel yüzlü, kırklı yaşlarda bir kadın giriyor içeri. Üzerindeki lacivert etek ceket ve elindeki büyükçe çantayla çalışan bir kadın olduğu hemen anlaşılıyor.

Bana anlatacağı şey her neyse, bundan çok utandığını hemen anlıyorum. Onu rahatlatmak için kurduğum bir iki cümleden sonra, başını önüne eğerek, usul usul başlıyor anlatmaya.

"Hocam, ne olur beni ayıplamayın. Artık bu yaşadıklarımı biriyle paylaşmam gerekiyor. Belki siz bana bir yol gösterirsiniz. On beş yıllık evliyim ve on üç yaşında bir kızım var. Ve hâlâ kocamdan dayak yiyorum."

İçime ince bir sızı yayılıyor. Dayağı yiyen o, bundan utanan yine o.

Utanmak, bizim ülkenin insanlarının canını en çok yakan duygulardan biridir. En rahat, en güvenli görünen insanlarımızın bile zaman zaman ufacık şeylerden nasıl da utandığını çok gördüm. Neden acaba? Çocukluğumuzda anne babalarımızın, "Başkaları bizimle ilgili ne düşünecek" kaygılarını bizler de öğrenmiş olabilir miyiz?

"Ben de insan değil miyim, hayat bana neden hep bunu yapıyor? Kız olmak, kadın olmak suç mu? Suçsa eğer bu benim suçum değil ki... İşte şimdi benim de bir kızım var. Onun kaderi benim gibi olmaz inşallah."

Hayatının ilkbaharındaki o kız da bu dayaklara tanıklık ettiğine göre, çocuğun kaderi çoktan yazılmıştır bence.

"Sırf ben de herkes gibi olabilmek, insan yerine konulabilmek için yıllarca okudum, doktor oldum. O da yetmedi bir üniversitede öğretim üyesi olana kadar ne çok çalıştım, çabaladım, biliyor musunuz? Sırf iyi bir mesleğim olursa bu zulümden kurtulurum diye. Ama ne oldu? Şimdi de kocamdan dayak yiyorum."

Nasıl yani diyorum içimden, hem doktor ol, hatta profesör ol, hem de hâlâ kocandan dayak ye. İçimden ilk anda böyle desem de, çok iyi bir mesleği olan pek çok kadından duydum bunu ama hâlâ zihnim bu gerçeği kabul etmek istemiyor.

"Babam sadece bizi değil, annemi de çok döverdi. Hele içki içtiği günler, evin içinde kaçacak delik arardık. Kadıncağızın her yanı morarır, yine de hiç sesini çıkarmazdı çünkü karşılık verse başına gelecekleri bilirdi. Konu komşu duyacak da rezil olacağız diye de korkardı annem. Babamsa bundan hiç korkmaz, utanmaz, avazı çıktığı kadar bağırırdı. Biz dört kardeştik. İki oğlan iki kız. Ben en büyükleriydim. Sonra da kız kardeşim doğmuş. Biz iki kız, annemi babamın elinden kurtarmak için uğraştıkça, biz de dayak yerdik. Dayak dedimse, sakın bir iki tokat zannetmeyin. Babam bizi öldüresiye döver, sabah kalkınca da hiçbir şey olmamış gibi davranırdı. Oğlanlar biraz büyüyünce onları dövmedi ama ben tıp fakültesi üçüncü sınıftayken bile annemden dayak yediğimi hatırlıyorum."

Annesinden mi? Baba yetmezmiş gibi o da mı dövüyormuş çocuklarını?

"Anneniz niye döverdi?"

"Kadıncağız babamın zulmünden yılmıştı. Hep mahzun bazen de çok öfkeli olurdu. O gün benim doğum günümdü. Ders çıkışı arkadaşlarım bana küçük bir kafede pasta kesip mum üfletmişlerdi. O yüzden de eve biraz geç kalmıştım..."

Annesini nasıl da koruyor. Önceliği başkalarına vermeyi doğduğu evde öğrenmiş. Annenin dert ortağı olmak da ilk çocuk olarak ona düşmüş. Ah bu ilk çocuklar... Üstelik bir de ilk çocuk kızsa...

Hem de doğum gününde dövüyor onu anne. O evde bu kızın hiç mi değeri yok? O annesini böylesine koruyup kollarken, annesi bu kızı neden döver acaba?

"Doğum gününüzmüş. Anneniz bunu bilmiyor muydu?"

"Bizim evde kimsenin doğum günü bilinmez ve kutlanmazdı."

Aslında doğum günlerinin diğer günlerden gerçekten de bir farkı yok ama o kutlamalar o kişiye gösterilen sevgidir, özendir, ilgidir, önemdir, değerdir. Bu kadın doğduğu evde bu güzelim duygularla hiç tanışmamış demek ki...

"Anneniz babanızdan ayrılmayı hiç düşünmedi mi?"

Bu sorum onu hüzünlendiriyor. Sanki kapkara bir bulut hızlıca geçip gidiyor üzerinden.

"HİÇ... Biz biraz büyüyünce anneme, ayrıl bu adamdan,

derdik, biz bakarız sana... ama belki de bize yük olmak istemedi. Kaderine razıydı. Belki de severdi babamı çünkü bazen de dünyanın en iyi insanı olurdu benim babam. Bayramlarda seyranlarda evimize her şeyin en iyisini alır, bizi giydirir kuşandırır, anneme de mutlaka kuyumcudan ya bir altın yüzük ya da altın bilezik getirirdi."

Bir altın yüzük ya da bilezik! Ah biz kadınlar ah...

"Benimki o kadarını da yapmıyor."

"Sizin eşiniz nasıl biri?"

"Eşimi görseniz, bu kadın yalan söylüyor dersiniz. Böyle bir adamın karısına ve kızına şiddet uygulayabileceğine inanmak istemezsiniz."

"Demek sadece sizi değil, kızını da dövüyor."

"O da beni babasının elinden kurtarmak isterken işte..."

Biz bu filmi daha önce görmüştük. Çocukken ona düşen rolü şimdi de onun kızı üstlenmiş. Yazık...

"Eşiniz ne iş yapıyor?"

"O da doktor ama o uzmanlıktan sonra fakülteden ayrıldı. Muayenehanesi var. Serbest çalışıyor yani."

Döven de doktor, dövülen de... İş buralara kadar geldi demek ki...

"Ne zaman başladı bu dayaklar?"

"Daha evlendiğimiz yıl ufak tefek vurmaları vardı ama sonradan hep çok pişman olur, defalarca özür dilerdi. Ben de her seferinde onun bu tatlı sözlerine kanar, bir daha yapmaz diye düşünürdüm."

İşte anahtar cümle geldi. "Bir daha yapmaz nasıl olsa..." Oysa bir kişi bir işi bir kere yapıyorsa, bunu tekrar yapma olasılığı yüzde elli artar. Birden fazla tekrar ediyorsa artık aynı eylemin devam edeceği neredeyse kesindir. O bir doktor, bunları bildiğinden eminim ama terzi kendi söküğünü dikemez derler ya, o hesap işte.

"Ona nasıl bir tepki verirdiniz?"

"Çok korkar, sonra da odama kapanıp ağlardım. Çok üzülürdüm."

Şiddetin küçüğüne zamanında tepki vermezsen büyüğü hiç gecikmez gelmekte.

"Ağlayarak tepki gösteriyorsunuz ama onu bile kapalı kapılar ardında yapıyorsunuz."

"Başka ne yapabilirim ki? Karşısında ağlamama bile kızıyor." Bir profesör hanım soruyor bunu bana. "Başka ne yapabilirim ki..." diyor. Demek eğitim de yetmiyor. Doğduğumuz evlerde aldığımız eğitim, bize öğretilen doğrular yanlışlar, orada edindiğimiz alışkanlıklar var ya, kaderimizi asıl onlar yazıyor. Sonra uğraş ki değiştirebilesin.

"Anneniz de böyle mi yapardı?"

"N'apsın kadıncağız. Babam onun ağlamasına da kızardı. Bizimki de kızıyor."

Sanki eşinden değil de evin başöğretmeninden bahsediyor. Kendi bir kedi, kocası da o kedinin sahibi. Sahibi kızdırmamak gerekiyor!

Profesör bile olsa, o bir kadın. Biz kadınların aklının bir köşesine uzun ama çok uzun yıllar önce bunlar yazılmış. Çamaşır suyuyla da yıkasak onlar çıkmıyor. Çıktı zannetsek de iplerimiz hâlâ o yazılanların elinde.

"Çocuğumuz olduktan sonra, ben bir yandan iş, bir yandan çocuk derken onunla yeteri kadar ilgilenemedim. İşte o zaman iyice azdı."

Demek sahip azdı!

Bir profesör hanımın eşi için bu sözcüğü kullanması dikkatimi çekiyor. Belki de ben doktorum diye, bu kırmızı odada eskiden zihnine işlenmiş sözcüklerle konuşuyor. Yani asıl gerçekleri zihnine yazıldığı gibi anlatıyor.

Sahip önce babasıymış, şimdi de kocası. Görevlerini tam yapmamış ve sahibi kızdırmış. Sahip azdıysa daha dikkatli olmak gerekiyor demek.

"Görevlerinizi eksik yapmış gibi konuştunuz."

"İnanın nereye yetişeceğimi şaşırıyordum."

"O size hiç yardım etmez mi?"

"O mu? Hiç! Maşallah el el üstünde oturur. Ne de olsa muayenehanede çok yoruluyor."

"Siz yorulmuyor musunuz?"

"Biz alışkınız bunlara."

"Biz derken?"

"Biz kadınlar yani..."

İşte bunda çok haklı. Biz kadınlar dünyaya geldiğimiz günden beri işimiz, gücümüz, yapmamız gerekenler hiç bitmez. Benim de hiç bitmedi.

"Ailesi çok şımartmış onu. Lisedeyken bile ayakkabılarını annesi bağlarmış. Başka kardeşi de yok. Tek çocuk yani..."

Onun kaderinde hep efendi olmak yazıyor, seninkinde ise köle. İki taraf da kurallara sonuna kadar uymuş.

"Kendini hâlâ kral sanıyor."

"Siz de ona kral muamelesi mi yaptınız?"

"Mecburen."

Mecburen! Şimdi köle-efendi ilişkisi daha da netleşti.

"Ama artık ne yapsam yaranamıyorum."

"Efendilere öyle kolay yaranılmaz da, o sana değil de sen niye ona yaranma derdindesin?" Böyle düşünsem de bunları ona söylemiyor, şimdilik sadece dinliyorum. Bunca yıllık doktorum ama dinlediklerim beni hâlâ çok etkiliyor.

"Beni dövmek için bahane arıyor. En küçük bir yanlışımda vuruyor bana. Kızım çok üzülüyor bunlara. Bana bir şey olacak diye ağlamaktan içi dışına çıkıyor. O geceler hep birlikte yatıyoruz. Benim yaşadıklarımı şimdi de kızım yaşıyor."

Hiç olmazsa bunu görüyor, biliyor olması ne güzel.

"İçinizden beni ayıpladınız değil mi? 'Koskoca profesör olmuş, hâlâ kocasından dayak yiyor' demediniz mi?"

"Dedim ama ayıplamadım. Tıpkı öğrencilerinize anlattığınız dersler gibi bana da hayatınızı çok güzel anlattınız ve ben sizi çok iyi anladım."

"Ne anladınız?"

"Öyle bir evde büyümeseydiniz, bugün kocanızdan dayak yemeyeceğinizi, belki şimdiki eşinizle evlenmeyeceğinizi, aslında hiç de çaresiz olmadığınız halde kendinizi nasıl da çaresiz hissettiğinizi anladım."

"Evet, gerçekten de anlamışsınız. Ama ben çok korkuyorum. Sınavlara girerken de hep böyle korkardım."

"Nasıl bir korkuydu? Ne derdiniz içinizden?"

"Ya yapamazsam!"

"Şimdi de öyle diyorsunuz."

Kadına şiddet konusunda sizlerle paylaşmak istediğim öyle çok hikâye var ki, keşke mümkün olsa da, kadınlarımızın bu konuda neler yaşadığını, ne acılar çektiğini, çoğu zaman kendilerini nasıl aciz ve çaresiz hissettiklerini tek tek anlatabilsem. Ancak şiddeti sadece kadınlar üzerinden anlatmak haksızlıkmış gibi geliyor bana. Kız erkek bütün çocuklara, erkeklere, gençlere, yaşlılara, hayvanlara ve doğaya karşı gösterilen şiddeti de yazmak istiyor içim.

Bu hikâyeyi seçmemin nedeni, ülkemizde sadece kendi ayakları üzerinde duramayan, cahil ve aciz kadınların değil, profesörlüğe kadar yükselmiş, meslek sahibi olanların da eşlerinden dayak yediğini hepimiz bilelim istedim.

Şiddeti konuşacaksak, konuyu öyle üstünkörü, birkaç fiyakalı cümleyle geçiştirmemeliyiz. Şiddet, çağımızda toplumların ısrarla üzerinde durması ve gündemden hiç düşürmemesi gereken bir konudur.

Şiddet

Şiddet artık bilimde ve teknolojide inanılmaz keşiflere imza atmış, sanatın her dalında harikalar yaratmış, ciltler dolusu kitaplar yazmış, internet aracılığıyla dünyayı ayağımıza getirmiş, uzaya gitmiş biz insanlara hiç yakışmıyor. Şiddet sadece karşıdakine gösterilen fiziksel saldırı değildir. Bunun, karşındakini öldürmeye kadar gideni var, yaralama var, tehdit var, şantaj var, aşağılama, kınama, utandırma var, cinsel taciz ve tecavüz var.

Şiddet aslında hayatımızın her alanında var.

Denk gelmişsinizdir, sanatçılarımızdan biri, konsere çıkarken giydiği kıyafet nedeniyle sosyal medyada adeta linç edildi. Bizler onu beğenmek zorunda değiliz. Ama linç etmek, hakaret etmek neden?

Bizim toplumumuzda açık giyen de var, kapalı giyen de. Başını örten de var, açan da... Onlar bizim düşmanımız değil, hepsi de bizim insanlarımız, yani içimizden biri onlar. Tam tersine birbirimize kenetlensek; yargılamak, ayıplamak, yermek, aşağılamak yerine elimizden geldiğince birbirimize destek olmaya çalışsak ne güzel olurdu.

Biz aslında çok sevecen, çok merhametli bir toplumuz. Sevdiklerimiz için hiçbir fedakârlıktan kaçınmayan, gerekirse canımızı veren insanlarız. Hayır diyemediğimiz için başımıza gelmeyen kalmadı. Çoğumuz ömrümüz boyunca "ben" diyemedik, "biz" dedik. Bu yüzden çok acılar çektik. Bunları bir anda unuttuk mu?

Birini mutlu edebilmek, mutlu olmanın anahtarıdır aslında. Ancak yorumları okuyunca tüylerim diken diken oldu. Övmeyi, güzel sözler söylemeyi değil, incitmeyi, birilerinin canını acıtmayı yani şiddeti sever olduk.

Şiddet virüs kadar bulaşıcıdır sevgili okurlarım ve nesilden nesile geçer. Maalesef bu virüs az çok hepimize bulaştı. Birilerinin canını acıtmayı sever olduk çünkü bizim de canımızı çok acıtıyorlar. İçimiz öfkeyle dolunca, bunu en kolay sosyal medyada boşaltabiliyoruz.

Bir toplumda şiddet ne kadar çoksa, bizler de ondan mutlaka nasibimizi alırız. Üstelik sadece maske takarak bu virüsten kendimizi koruyamayız. Şiddet gösterenleri kınarken aynı şeyleri biraz farklı bir yöntemle bizler de yapıyoruz.

Sosyal medyaya bir şeyler yazarken onu okumadan göndermeyelim. İçinde sevgi sözcüğü geçiyorsa, okumasanız da olur. Çünkü sevgi ve şefkat de şiddet kadar bulaşıcıdır. Bir güzel söze, tatlı bir gülümsemeye hepimizin öyle çok ihtiyacı var ki...

Kocasından dayak yiyen profesör hanımın hikâyesine dönmek istiyorum.

Sizce o güzel, o tertemiz, o çok başarılı kadın doğduğu evde sevgiyi, şefkati, merhameti, değerli ve önemli olmayı öğrenebilseydi, yine de evlenirken o adamı seçer, annesinin kaderine razı olur, hâlâ kocasından dayak yemeye devam eder miydi? O adam, kendini önemli ve değerli hisseden bir kadını dövmeye cesaret edebilir miydi?

Profesör hanım şiddete bu kadar aşina olmasaydı yani baba evinde şiddetin her türlüsünü görmeseydi, eşinden ilk tokadı yediği gün nasıl bir tepki verirdi?

Maddi manevi öyle bir eş olmadan da gayet rahat yaşayabileceğini bildiği halde, bu evliliği neden sürdürüyor? Neden bu kadar korkuyor?

Sınavlara girerken de çok korktuğunu söylemişti, hatırladınız mı, ya yapamazsam diyerek çok korktuğunu. Şimdi de kendi kendine aynı şeyleri söylüyor, ya yapamazsam...

Biz kadınlar bizim ülkemizde çoğu zaman hiç özgür olamadan, kendi kararlarımızı kendimiz alamadan yaşayıp gidiyoruz. Çocukluğumuz ve gençliğimiz ailemizin kurallarına uyarak geçiyor. Ben de işte o kadınlardan biriydim. Annem izin vermedikçe okul dışında bir yere gidemez, kendi başıma alışveriş yapamaz, her konuda aileme hesap vermek zorunda kalırdım. Bizim nesil hep böyle yaşadı zaten.

Sonra evlendik, bu sefer de o hesapları eşimize verir olduk. Sadece hesap mı, önceliği de eşlerimize verdik. Yalnız yaşamayı, özgür olmayı hiç denemedik, hiç öğrenmedik ki... Ana ocağından koca evine transfer olduk.

Ben eşimi kaybettikten sonra öğrendim yalnız yaşamayı, kendi kararlarımı kendim alabilmeyi. Çocuklarım ve çok sevdiğim bir işim olmasaydı sanırım çok bocalardım.

Onun için ailelere hep çocuklarını liseden sonra üniversite eğitimi için başka şehirlere yollamalarını öneririm. Gençler yalnız yaşamayı, kendi ayakları üzerinde durmayı, kendilerini korumayı hayata başlarken bir an önce öğrensinler isterim.

Babam öldüğünde annem 47 yaşındaydı ve henüz bir bankaya para yatırmayı ya da bankadan para çekmeyi, elektrik, su faturalarını ödemeyi hiç bilmiyordu. 16 yaşında evlenmiş ve hayatında hiç yalnız kalmamıştı. Sonradan biraz da bizim desteğimizle hepsini öğrendi. Destek derken, aslında o işleri onun yerine biz yapmadık. Yapsaydık hayatı hiç öğrenemeyecekti. Biz ona hep güven verdik, sevgimizle, şefkatimizle sarıp sarmaladık. Her zaman yanında olduğumuzu hissettirdik.

O dönem sık sık hep birlikte anneme yemeğe gider ya da onu bize çağırırdık. Çocuklarının arasında kendini hep güvende hissederdi. Zaten ondan sonra da annemi hiç yanımdan ayırmadım. Özellikle tatillerde o da gelirdi bizimle.

Benim evimde kendini hiçbir zaman misafir gibi hissetmezdi. Çünkü annem yazlık evimizi kendi evi gibi hissetsin diye, ben hemen evin kızı rolüne geçerdim, annem de evin sahibi. Ancak yine de hiç sevmedi yalnızlığı, babamın lafını hiç ağzından düşürmedi. Gardırobu açtığınızda ilk gözünüze çarpan babamın son zamanlarda en sık giydiği lacivert çizgili takım elbisesi olurdu. "Ona baktıkça kuvvet alıyorum" derdi. İnsan alışkanlıklarından kolay vazgeçemiyor.

Bizim profesör hanım da bütün bunları hiç öğrenemeden evlenmiş. Yalnızlıktan korkuyordu. Dayak da yese, hep aşağılansa da, demek ki yalnızlık ve alışkanlıklarından vazgeçme korkusu ağır basıyordu.

Biraz daha cesur davranabilseydi, çok farklı bir hayatı olacaktı ama tercihini acıdan, ezilmekten, şiddet görmekten yana kullandı. Bunun kendi kararı olduğunu kabul etmeyi hiç istemedi, ben de bu konuda hiç üstüne gitmedim. İnsanlar suçu kadere yüklemeyi sever çünkü o zaman hiç olmazsa isyan edecekleri, sığınacakları bir liman vardır.

Demek ki acı çekerek yaşamak da insanlar için bir yaşam biçimi. Acının da vazgeçilemeyen bir tadı var. Ya da acı çekmek madde bağımlılığı gibi çok güçlü ve yapışkan bir duygu. Hani hep söylerim ya, bizim insanlarımız geçmiş yaşantıların ve kültürün de etkisiyle bir süre sonra acının tiryakisi oluyorlar.

Aslında insanın kendini iyi tanımadan, duruma doğru teşhis koymadan eşinden ayrılması genellikle soruna çözüm olmuyor. Yılların birikimiyle bir tahmin yapmam gerekirse, bizim profesör hanım onu döven doktor eşinden ayrılsa bile, ona şiddet gösterecek bir başkasını mutlaka bulurdu gibi geliyor bana. Hani sık sık, "Kader Motifi" adlı bir kavramdan bahsediyorum ya, onun motifinde şiddet var. Şiddet dolu bir ortamda dünyaya gözlerini açmış. Ona iyi davranan, onun kararlarına ve haklarına saygı duyan bir dünyayı hiç tanımıyor. Biri ona çok iyi davranıyor, sevgi ve saygı gösteriyorsa bunun altında bir şeyler arar, onlara güvenmez. Öyle bir ortama yabancı hisseder kendini. Hiç tanımadığı, yabancı bir ülkede yaşamak gibi bir şey yani...

Bu motif değişir mi? Tabii değişir ama öncelikle bu değişimi gerçekten istemek, buna cesaret etmek gerekir.

O adam, yani pek çok hastanın derdine deva olan bir doktor bey, eşini neden döver?

Bu iki zıt kutup yani dünyanın hep ona hizmet etmesini bekleyenler ve dünyaya başkalarına hizmet etmek için gelenler birbirini bulur zaten. Ayrılsalar, doktor bey de ona köle olacak başka birinin peşine düşerdi bence.

Profesör hanım nasıl acının tiryakisi olduysa, doktor bey de şiddetin tiryakisi olmuş. Biz kadınlar buna izin verdiğimiz sürece şiddet tiryakileri hep olacak hayatımızda.

Şen olasın Halep şehri

Hani ünlü bir söz var ya "İşte geldim, gidiyorum. Şen olasın Halep şehri" diye... Arada bir yaşamın, aslında kısa bir yolculuk olduğunu zengin fakir, hepimiz unutuyoruz. Küçücük şeylere takıyoruz kafayı, üç gün sonra bir soran olsa, sen o gün niye o kadar gergindin diye, onu bile hatırlamadığımız o küçük şeyler bize asıl gerçekleri unutturuyor. Hayatın kısa bir yolculuk olduğu gerçeğini. Ama bir derdimiz, bir sıkıntımız olduğunda da, bazen geçmiş günlere bakıp bakıp, "Ah..." çekiyoruz. Ne güzelmiş, kıymetini bilmemişim diye.

Ancak geçmişin kiri pası öylece zihnimizde duruyorsa, camları yıllardır silinmemiş evler gibi hayatı bize puslu gösteriyorsa, biz o anı işte o pencerelerden seyrediyor ve ne görüyorsak onu yaşıyoruz. O camları silmeden, parlatmadan, zihninizi kirleten şeyleri kolundan tutup atmadan o günün tadını çıkarmak zor olsa gerek. O kirli camları temizlemenin en kestirme yolu genellikle kendimizle arada bir de olsa konuşmak, ruhumuzun sesini dinlemek, onun ne dediğini duymaktır.

O anda sizi çok üzen bir durum varsa, çok üzgünseniz, sıkıntılıysanız, kafayı bir şeylere takmışsanız eğer, önce durum tespiti yapın. Şu anda ben ne hissediyorum diye sorun kendinize. Üzgün müyüm, sıkıntılı mıyım, kaygılı, endişeli miyim, korkuyor muyum, heyecanlı mıyım yoksa keyfim yerinde mi... İnsanın o anda ne hissettiğini bilmesi, duruma çare bulması açısından çok önemlidir; doktorun hastasına teşhis koyması gibi bir şeydir bu.

Eğer işi seyrine bırakırsanız, olumlu duygu çabuk terk eder sizi ama olumsuz olanlar hiç bırakmaz peşinizi. Tıpkı derenin suyu gibi durmadan akar gider ve size kendinizi hep mutsuz hissettirir.

Özellikle bizim ülkemizde yaşayan insanların çoğunun alışkın olduğu duygu üzülmek, sıkılmak, kaygılanmak, kızmak, öfkelenmek, hakkının yenildiğini, ihtiyacı olan sevgiyi, değeri, önemi göremediğini hissetmektir. Tabii ki hiçbirimiz durup dururken böyle hissetmiyoruz. Amerikalı araştırma şirketi Gallup tarafından hazırlanan 2021 küresel duygular raporuna göre, ülkemiz en az gülen, en öfkeli, en stresli ülkeler sıralamasında ilk beşe girmiş. Yine aynı yıl, ülkemizde psikiyatri kliniklerine başvuranların sayısı üç kat artmış. Her üç kişiden biri sinir ilaçlarıyla ayakta duruyormuş.

Oysa bir yandan da benim gördüğüm kadarıyla, dünyanın en merhametli, en şefkatli, sevecen ve yardımsever insanları da bu ülkede yaşıyor. Demek biraz da yaşadığımız Covid 19 salgını nedeniyle bu ara olumlu duygularımız kenara çekildi, olumsuzlarsa son hızla attı kendini dışarı. Şiddet, topluma yayılma konusunda Coronavirüs'ün bile önüne geçti.

Bir yandan da bizler acılı insanların çocuklarıyız. Şöyle bir bakın geçmişinize, anneniz, babanız, anneanneniz, nineniz, dedeleriniz hep çok zor hayatlardan geldiler. Hayat çoğunu ezebildiği kadar ezdi, hakkını yedi; ömürleri ah vahla geçti. Çok gülmenin ayıplandığı, böyle gülmelerin sonunun mutlaka ağlamak olacağını duyarak, dinleyerek büyüdük.

Çocukken ben babaannemden kaç kere azar işitmiştim her şeye güldüğüm için. Çocukken gülmeyip de ne zaman güleceğiz ki... Yetişkin olunca zaten gülecek durumlar giderek azalıyor. Neredeyse bize gülmeyi unutturacaklarmış. Şimdilerde her güldüğümde babaanneme rahmet okurum. Öyle de se de, biz güldükçe hem kızar, "Siz de vara yoğa gülüyorsunuz" der, hem de arkasından o da gülerdi.

Yine ben çocukken gülen insanlara bayılırdım. Hele kahkaha atanlara hep hayranlıkla bakardım. Herkes güzel kahkaha atamaz. Şimdi eğer bu satırları okuyorsanız atın bakalım bir kahkaha. Sizinki güzel mi? Ben kendi attığım kahkahaları pek beğenmiyorum. Demek ki iyi kahkaha atmak da bir marifetmiş.

Yine ben çocukken şimdikinden çok farklı bir dünyada yaşıyormuşuz. O zamanlar bu dünya hep böyle gidecek, hiç değişmeyecek sanıyordum. Şimdiki çocuklar kadar cesur ve özgür hissetmezdik kendimizi. Çabuk korkar, çabuk utanırdık. Hangisi daha doğru derseniz, onu da ben değil siz söyleyin. Büyüklerimiz bize bakarken oyun oynamaya bile çekinir, bunu onlara saygısızlık gibi görürdük. Bir yere misafirliğe gittiğimizde yemek yerken bile çekinirdik.

Yolda bir ekmek parçası görsek bunu mutlaka yerden alır, üç kere öpüp başımıza koyduktan sonra onu ayak basılmayan yüksek bir yere bırakırdık ki, kuşlar onu görüp yiyebilsin. Çünkü ekmek nimetti, kutsaldı bizim için, saygı gösterilmeliydi. Evlerde yere dökülen ekmek kırıntıları bile toplanır, bahçenin en ayak basılmayan yerlerine atılırdı, tek ziyan olmasın, kuşlar aç kalmasın diye.

Yemekler asla dökülmez, atılmaz, eğer yiyen yoksa da bahçelerde gezen kedilere, köpeklere verilirdi. İsraf haram kabul edilirdi yani günahların en büyüğü olarak kodlanmıştı zihinlerimize. Kitaplarımızı yıpratmamaya çalışır, defterlerimizi idareli kullanırdık. Belki de şimdi bunları okuyanların bir kısmı, "İdareli kullanmak da ne demek?" diyor. Çünkü yeni kuşaklara bizler bu kuralları iyi aktaramadık. İdareli kullanmak sayfaları boş yere doldurmamak, yırtmamak, satır aralarını çok açık bırakmamak, son sayfanın son satırına kadar dolmadan o defteri atmamak demekti.

Ben bu kuralı sevgili kızım Yağmur'a çok iyi öğretmişim, hâlâ ödü kopar israftan. Şimdi o da çocuklarına öğretmeye çalışıyor bu kuralı ama yeni kuşaklar bunu ne kadar anlar, ne kadarını uygular, onu pek bilemiyorum.

Annem, "İsraf ederseniz evimizin bereketi kaçar" der, iğneden ipliğe her şeye özen gösterirdi. Eskiyen kazaklar, hırkalar sökülüp çile yapılır, o çileler ılık sabunlu sularda özenle yıkanıp kurutulur ve yeniden örülürdü. Bunları yazarken bir yandan gülüyor, bir yandan da soruyorum kendime, "Sen geçen yüzyıldan mı kaldın, yüz yaşını doldurdun da haberin mi yok?" diye. Çünkü bu yazdıklarım şimdi bana bile çok garip geliyor.

Giysilerimize hepimiz çok özen gösterirdik. Eskimeden hiçbir şey atılmaz, çarşıya alışverişe çıkarken evde neye ihtiyacımız varsa onu alırdık. Yani şimdiki gibi vitrinde ne görürsek beğendiğimizi alıp eve getirmezdik. Artık bize küçülen, giyemediğimiz, kullanamadığımız her şey ihtiyacı olanlara verilirdi. Onu verdiğimiz kişiler de, başkasının eskisini mi giyeceğim demez, onları özenle kullanırdı.

O zamanlar, yani çocukluğumun geçtiği, bana şimdi çok tatlı bir masal gibi gelen o yıllarda, yediğimiz içtiğimiz, giydiğimiz kuşandığımız, takıp takıştırdığımız her şey bizler için çok değerliydi. Küçük de olsa evimize giren her yeni şey bizleri çok sevindirirdi. O zamanlar sevinmek, mutlu olmak, sevinçten havalara uçmak için ne çok bahanemiz varmış. Şimdilerde bu bahaneler nasıl da azaldı.

Geçenlerde kız kardeşim Yükselen bir haftalığına Ankara'dan beni ziyarete geldi. Biz ikiz gibi büyüdüğümüz için birbirimizi uzun süre görmeden yapamayız. Tabii gece olup da camın önündeki koltuklara yerleşince, ilk işimiz her zaman eskiyi, çocukluğumuzu konuşmak olur. Bunu sadece buna tanık olanla, sizinle aynı evde, aynı şeyleri yaşayan kişilerle konuşabilirsiniz. İnsanın çok sevdiği, her şeyi paylaşabildiği bir kız kardeşi olması ne büyük şans, ne büyük mutluluk.

Neler mi konuştuk? Sadece bir geceyi anlatsam, başlı başına bir kitap olur. Bazen öyle bir dalarız ki geçmişe, saat gece yarısını çoktan geçer, biz hâlâ gözlerimizden yaş gelene kadar gülüyor ve konuşuyor oluruz. En çok da birlikte kurduğumuz hayaller güldürür bizi. Aman ne basit, ne saçma sapan hayallermiş onlar ama bizim için ne kadar değerliydi. Bugünü, bu çağı o zamanlar hayal bile edememişiz.

En çok konuştuğumuz konuların başında babam ve annem gelir her zaman. Onları bol bol konuşarak, biraz da onlarla hasret gideriyoruz galiba.

Babamın sesi de güzeldi, kahkahası da. Hele her akşam eve gelmeden telefon ettiği zamanları hiç unutmuyorum. Biz üç kardeş o telefonu açmak için adeta yarışırdık. Oysa babam aslında o saatte annemi arıyordu, "Hanım, bir şey istiyor musun, gelirken alayım" demek için. Bunu bile bile yine de onun telefondaki sesini duymak isterdik. Eğer telefonu alo diye açarsak kızardı babam. Telefon, "Buyurun efendim" diye açılır derdi. Hemen arkasında bize hal hatır sorardı. Ne güzel bir erkek sesiydi babamınki...

Anneme gelince, onun içten attığı bir kahkahayı galiba pek az duyduk. En gülünecek şeye bile hafifçe gülümser geçerdi. Çocukluğunda ona gülmeyi, hele kahkaha atmayı öğreten olmamış ki... Anneannemi hatırladıkça bunu şimdi daha iyi anlıyorum. Yemyeşil, sanki biraz nemli ve çok güzel gözleri vardı Nazmiye Hanım'ın. O zamanın güzel kadınlarından biriymiş. Çok korkaktı, her şeyden korkardı. Biz çocuk halimizle onu sakinleştirmeye çalışırdık. Evde acaba bir şey eksik mi, Hasan Bey gelince bize kızar mı (Hasan Bey, dünyanın en beyefendi adamı olan babam oluyor. Babama hep Hasan Bey derdi), dışarı çıkacaksa giyiminde kuşamında bir kusur, bir eksik var mı, çantasında ihtiyacı olan her şey tamam mı diye bakınır dururdu. Annemle kendi aralarında konuşurlarken, ne konuştuklarını anlamasak da onun gözleri hep dolu olurdu. Ona baktıkça çok üzülür, neden hep ağlamaklı olduğunu bir türlü anlamazdık. Çünkü gayet iyi giden bir hayatı vardı. Büyükbabam çok iyi bir insandı. Memlekette kocaman bir evleri, evde ona yardım eden güler yüzlü yardımcıları vardı. Üstelik sağlığı da iyiydi.

Şimdi, bunca yıl pek çok insanı dinleyen bir psikiyatrist olarak anlıyorum ki, yıllarca gülmeyen insan, sonradan hayatı çok iyi de gitse gülmeyi, mutlu olmayı unutuyor. Anneannem de zaten genç yaşta hastalandı, 57 yaşındayken de öldü. Ben o zamanlar anneannemin çok yaşlı olduğunu sanıyordum. Hele ki bir insan hayata hep mahzun bakıyorsa, onu zaten yaşlı görüyor, yaşlı sanıyorsunuz.

Bir de halam vardı, Zeliha Halam. Bir söyler iki gülerdi. Sesi gürdü, konuşmaları öbür mahalleden dinlenirdi. Evi hep kalabalık olurdu. Annem gibi o da severdi misafiri. Hep anlatacak bir şeyleri vardı. Yerinde oturamaz, eliyle, koluyla, bütün mimikleriyle beraber anlatırdı ne anlatacaksa. Onun enerjisi bir anda oradakilere de yayılır, ortalık düğün evine dönerdi. Biz çocuklara da eğlence lazım... Bayılırdık onun evine gitmeye.

Duygularımızı, derelerde hiç durmadan akan sulara benzetirim. Doğduğumuzda o derenin suyu pırıl pırıldır, berraktır. O dereye güzel şeyler atarsanız suyun parlaklığı giderek artar ama hayat hep güzel şeyler yaşamamıza izin vermez. Dereye attığımız her sıkıntı, her kaygı, her üzüntü derenin rengini bulanıklaştırır. Hele ki attıklarınızın içinde bolca acı varsa, su kapkara olur.

Hayat bir yandan bütün güzelliklerini ve ihtişamını bizlerin gözlerinin önüne sererken bir yandan da hepimizin deresinin suyunu karartmaktan hiç çekinmez. Bütün bu güzelliğine, ihtişamına rağmen, hayat huysuzdur, bencildir, kendinden başka kimseyi düşünmez. Öyle huysuzdur ki, onunla geçinmenin tek yolu, ona uymak, uyum sağlamaktır. Uymadınız mı, hiç gözünüzün yaşına bakmaz, çocuk demez, genç demez, yaşlı demez, hemen keser cezanızı. Sonra da arkasına bile bakmadan, kimine güzel yüzünü göstermeye, kimine de yeni cezalar kesmeye gider.

Dedim ya, hayat huysuzdur diye, gözünüzün yaşına bakmaz diye, onun huyunu suyunu iyice öğrenseniz de, ne derse onu yapsanız da, ummadığınız yerde çıkmaz sokaklara sokuverir sizi. Ne olduğunu, neden olduğunu daha siz anlamadan yine çeker gider. Yani o derenin suyunu kirletmenin mutlaka bir yolunu bulur.

Böyle huysuz bir hayatla mücadele etmek, iyi yaşayabilmek çok ciddi bir sanattır. O sanatı da, eğer iyi bir öğrenciyseniz, yine kendisi öğretir size. Hayatın sesini duyanlara, buna özen gösterenlere, onu anlamaya çalışanlara bile kırk çalım atsa da, sonunda sizi görür, sesinizi duyar ve tanır. Sizin ona bakışınızı, ona duyduğunuz hayranlığı, onunla mücadele etmekten vazgeçmeyeceğinizi hissettikçe, sizinle başka türlü bir ilişki kurmaya başlar. Size arkasını dönmez, sizi unutmaz. İki kere vursa da üçüncüde size öyle şeyler gösterir, öyle şeyler yaşatır ki, şaşıp şaşıp kalırsınız. Aranızdaki muhabbet giderek koyulaşır. Ama sizi en iyi tanıdığı gün bile elindeki sopayı hiç unutturmaz size.

Eğer arada bir bile olsa, bu huysuz hayatla iyi geçinebiliyor, bunun için mücadele etmekten hiç yorulmuyor, vazgeçmiyorsanız, ne mutlu size. Çünkü sadece bu mücadeleden hiç vazgeçmeyenlerin derelerinin suyuna güneş gözünü dikti mi, pırıl pırıl parlayıverir.

Yok, ben yoruldum, daha fazla uğraşamam diyenlerdenseniz, hayat bir daha hiç uğramaz yanınıza. Sizi nerede bıraktıysa, tam da orada unutur.

Ali

Bir toplumda şiddet ne kadar yoğunsa, o toplumun insanları o kadar mutsuz, güvensiz, kederli, kırılgan, alıngan, umutsuz, öfkeli ve şiddet göstermeye o kadar yatkın olur. Şiddet biz insanların hayallerini bile olumsuz etkiler. Özellikle kadına gösterilen şiddetin yayılma ve insan ruhunu olumsuz etkileme gücü çok daha fazladır, yani şiddet virüsü çok bulaşıcı hale gelmiştir. Çünkü kadın bütün toplumlarda sevgiyi, şefkati, merhameti temsil eder. O ölürse, onunla birlikte zihnimizdeki bütün bu güzel duygular da birer birer ölür.

Kadının şiddet yerine sevgi ve şefkatle kucaklandığı yerler mutlu evlerdir. Bu evlerde çocuklara şiddet virüsü bulaşmaz. Tam tersine çevreye sevgi ve şefkat yayan, mutlu çocuklar yetişir.

Hep şiddet görenleri konuşuyor ve onlara çok üzülüyoruz. Bugün biraz da şiddet gösterenleri, hunharca cinayet işleyebilen acımasız katilleri konuşalım. O şiddeti gösterenleri de aynı toplum yetiştirmiyor mu? Onların da bir anne babası yok mu? Kim bu insanlar? Katiller ve caniler hangi evlerin, hangi koşulların üretimi?

Şiddeti konuşacaksak, sadece o şiddeti gösterenlere verilecek cezaları değil, şiddet gösterenleri de tanımalıyız. Ne oluyor da hem dünyada hem de ülkemizde bu üretim yani acımasız katil üretimi giderek artıyor ve özellikle kadınlara yöneliyor?

Meslek hayatım boyunca pek fazla suçlu tanımadım ama yine de gencecik bir kadını, hunharca öldürüp cezasını çektikten sonra bana gelen birini çok iyi hatırlıyorum. Adı Ali'ydi. Siyah, belki de aylardır yıkanmayan saçları gözlerinin içine giriyor, arada bir eliyle onlardan kurtulmaya çalışıyordu. Zayıf, çelimsiz, sarı benizli, donuk yüzlü biriydi. Ellerini önünde birleştirmiş, başını iyice eğmiş, hiç yüzüme bakmadan konuşuyordu.

İç Anadolu'nun bir köyünde doğmuş, ilkokuldan sonra bir daha okula gitmemiş, Köyde bir sevdiği varmış, aile onu başkasına verince o da kendini İstanbul'a dar atmış. 17-18 yaşlarında İstanbul'da bir akrabasının yanına gelmiş ve inşaatlarda çalışmaya başlamış. Askerliğini de yaptıktan sonra bir daha köye dönmemiş.

Aile çiftçilikle geçiniyor, çocuklar biraz büyüyünce tarlada hiç olmazsa getir götür işlerine bakıyormuş. Aile zar zor geçindiğinden kızları bir an önce evlendirmenin, oğlanları da şehre gönderip üç beş kuruş para kazandırmanın peşindeymiş. Ne kazanırlarsa, çoğunu herkes köye gönderiyormuş.

Ali önce inşaatlarda amelelik, sonra küçük lokantalarda garsonluk yapmış. Kendi gibi yersiz yurtsuz pek çok arkadaş edinmiş. En büyük eğlenceleri izinli günlerinde ya da saatlerinde ıssız bir deniz kenarında bir yandan denize bakarken bir yandan bira içip kadınlardan, kızlardan konuşmakmış. Her birinin kadınlarla ilgili anlatacağı bir şeyler varmış; Ali hariç.

Zaten çocukluğundan beri az konuşan, alıngan, çekingen, korkak bir çocukmuş Ali. Babası hepsini çok döver ama en çok Ali ağlar, o ağladıkça, "Sen ne biçim erkeksin" diyerek onu daha çok dövermiş. Köy yerinde babaların çoğu dövermiş çocuklarını. Bazı anneler çocukları çok dövülünce kızar, araya girer, bazılarıysa, Ali'nin annesi gibi sadece uzaktan bakmakla yetinirmiş.

Gel zaman git zaman derken bir gün arkadaşları Ali'yi geneleve götürmüş. Ali'ye Yanık Hayriye düşmüş. Ona böyle demelerinin nedeni, zamanında müşterilerinden birinin üstüne kezzap atmasıymış. Kadın ani bir refleksle başını arkaya atınca kezzap yüzüne değil, göğsünün üst kısımlarına gelmiş. Uzun süre hastanede yatmış ama göğsündeki izleri mezara kadar taşımak zorunda kalmış.

Her şeye rağmen yaşı Ali'den büyük olsa da, çok güzel bir kadınmış Yanık Hayriye. Ali'ye yakınlık göstermiş, onu sevip okşamış. Bu durum, annesinin bir gün bile sevip okşamadığı Ali'nin çok hoşuna gitmiş. Artık köye para göndermek yerine kazandığı parayı onu daha sık görebilmek için Hayriye'ye yatırır olmuş. Ali, Hayriye'nin ona gösterdiği ilgiyi başkalarına da göstermesinden rahatsız olmaya da o günlerde başlamış.

Tam da o sıralarda babası köyden kalkıp şehre, Ali'yi görmeye gelmiş. Daha merhaba demeden okkalı bir tokat atmış Ali'ye, "Biz acımızdan ölürken sen bu paraları karıyla kızla mı yiyorsun?" diyerek ağzından burnundan kan gelene kadar dövmüş oğlanı.

Ali bir daha hiç gitmemiş oralara. Ama hayat bu ya, sığıntı gibi oturduğu evin komşularından birinin kızına gönlünü kaptırmış. Sonunda kızla yalnız konuşmayı da başarmış. Kız ona ne evet demiş, ne de hayır ama Ali'nin aklı kızda kalmış. Artık arkadaşlarıyla bile buluşmuyor, her boş zamanında kızın yolunu gözlüyor, onu yalnız yakalamaya çalışıyormuş.

Bir yandan da içinden, "Köydekini kaçırdık, bari bunu başkasına kaptırmasak" diyerek geceleri bile uyumuyormuş. Abileri evlenmiş, şehirde kalmayı başaramadıkları için köyde aileyle birlikte yaşıyor, tarladan ve Ali'den gelen parayla idare ediyorlarmış. Ali ise o köye bir daha dönmemeye kararlıymış.

Bir iki mektup, telefon derken giderek kızla ilgili ümitleri artmış. Bir iki buluşma, birkaç unutulmaz öpücük Ali'yi daha da heyecanlandırmış. Sonunda kız demiş ki, "Niyetin ciddiyse beni babamdan iste." Ali'nin niyeti ciddi ama cebinde para yok. "Bekle" demiş Ali, "biraz bekle." Kız beklemiş, Ali de bu arada daha çok para kazanabileceği işlerin peşine düşmüş. Daha iyisini bulamasa da, bahşişi daha çok olan bir başka lokantada iş bulmuş.

Bir yandan da babasından gizli para biriktirmeye çalışıyor, kıza daha yakışıklı görünebilmek için kendine de gömlek, tıraş losyonu filan alıyormuş. İşte ne olduysa tam da o sırada olmuş. Kızı yanında başka bir erkekle görünce Ali çıldırmış. Kız buna mesaj atmış, "O benim şimdilik hiçbir şeyim değil. Beni babamdan istediler, bizi de o gün tanışalım diye birlikte yolladılar. Benim gönlüm hâlâ sende ama beni daha ne kadar bekleteceksin?" diye.

Önce yanında kaldığı Ekrem Abisine açmış konuyu. Ekrem, "Aman oğlum, o kızı sana vermezler. Hem sen daha İstanbul gibi bir yerde evlenmek için çok gençsin. İşini gücünü yoluna koy, evlenmeyi sonra düşün. Madem artık az çok para da kazanıyorsun, bize de her ay üç beş kuruş versen iyi olur" demiş.

Aradan aylar geçmiş. Ali artık görüşmeseler de kızı her fırsatta takip etmeye devam ediyormuş ama kız artık eskisi gibi Ali'ye mesaj yazmıyor, onunla hiç buluşmuyormuş. Bir gün yine kızı bir başkasıyla beraber görmüş. Ekrem Abi'den de kızın bir muhasebeciyle evleneceğini duyunca morali iyice bozulmuş. Üç gün, üç gece ne uyumuş, ne de işe gitmiş. Dördüncü gün kızı sabahtan başlamış beklemeye. Akşam hava kararırken otobüsten indiğini görmüş. Evin yokuşunda yakalamış onu. Önce babasının köyden şehre geldiği gün ona attığına benzer bir tokat atmış ona. Kız yere yıkılınca da oturmuş üzerine, başını defalarca yere çarpa çarpa öldürmüş kızcağızı.

Etraftan birileri yetişinceye kadar da kız zaten çoktan ölmüş.

Taammüden adam öldürmekten tam 17 yıl yatmış içeride. Bana onu babası getirdi, "Bu oğlan içeri girdiğinde böyle değildi. Şimdi artık ne konuşuyor, ne de çalışabiliyor. Bunun bir ilacı milacı yok mu?" diye sordu. Annesi öleli 6 yıl olmuş. Babaya köydeki oğlanların karıları yani gelinler bakıyormuş. O hiç kimseyle konuşmayan Ali anlattı bu hikâyeyi bana. Sonunda bana şöyle dedi: "Olan o gariban kıza oldu. Nasıl da güzeldi..."

Aslında oracıkta, daha hayatının baharında ölen o gencecik kız gibi Ali de ölmüştü o gün. Sadece nefes alıp vermek, arada bir yemek yemek yaşamaktan sayılıyorsa, işte o kadar yaşıyordu. İçinden biliyordu o kızın masum olduğunu. O kızı öldürerek aslında kendini cezalandırmak, kendini, bir türlü sevemediği hayattan koparmak, kurtarmak istiyordu.

Kaderlerimiz nasıl da birbirine bağlı, değil mi? Birinin umutsuzluğu, kendine ve hayata duyduğu öfke, umutsuzluk, başka birinin hayatına mal oluyor. Tıpkı milyonlarca insanın ölümüne neden olan Hitler gibi... Hitler de zamanında bir kazaya ya da cinayete kurban gitseydi ya da hep çok istediği gibi ressam olmayı başarabilseydi, İkinci Dünya Savaşı bütün dünyayı cehenneme çevirmeyecekti. Hitler'in hayata duyduğu öfkenin bedelini bütün dünya ödedi.

Birini öldürebilmek o kadar kolay iş değildir. Önce kendinden sonra da hayattan nefret edeceksin, dünyadan hiçbir umudun kalmayacak ki, adam öldürebilesin. Çocukluğunda şiddet görecek, şiddete tanıklık edecek ve onu insanın en doğal tepkisi olarak benimseyeceksin ki, birinin canına kıyabilesin.

Hayatın sana ettiği haksızlığın intikamını bir garibandan alabilesin.

O kadar korkacak, kendine o kadar güvenmeyecek ve sevmeyeceksin ki...

Adalet duygun o kadar incinecek ki...

Hayata duyduğun bütün öfkeyi, kini, nefreti seni artık istemeyen masum bir kadına yönlendirebilesin.

Çünkü son ümidin o kadındı. O da yoksa sen zaten yoksun.

Kadınları acımasızca öldüren erkeklerin hepsi Ali gibi değil. Bunun içinde paranoid bozukluğu olan var, daha ileri seviyede ruh hastaları, bir de sosyopatlar, psikopatlar var.

Ayrıca tacizciler, kadınları ve bazen de çocukları hedef alan tecavüzcüler var.

Hatta kedileri köpekleri yakalayıp onlara eziyet eden, yakan, kuyruklarını kesen, öldüren caniler var...

Anneee, evimize gidelim!

Ne zaman bir yere sel gelse, birinin evi yansa, hep çocukluğum gelir aklıma. Sanırım o zamanlar henüz 4-5 yaşlarındaydım. Ankara Varlık Mahallesi'ne sel gelmişti. Ankara o zamanlar büyük, gelişmenin, medenileşmenin heyecanını yaşayan bir kasaba gibiydi. Nerede yangın olsa, sel gelse ya da bir cinayet işlense bunu daha gazeteler yazmadan kulaktan kulağa herkes duyar, meraklanır ve akın akın olay yerine giderdi.

Gece vakti, annem, bütün komşularla birlikte kız kardeşimle benim ellerimizden tutmuş, sel gelen mahalleye götürmüştü. Ortalık karanlıktı. Bir çukurun içindeki evler yarı beline kadar suyun içinde kalmış, büyük bir kalabalık bu çukuru çevrelemiş, kimi olayı korkuyla, endişeyle seyrediyor, kimileri kayıklarda kürek çekerek evlerin çatısına çıkan insanları kurtarmaya çalışıyor, kimileri de yine suyun içinde onlara yardım ediyordu.

Kurtarılanlar kıyıya, bizim olduğumuz yere çıkarılıyor, kalabalığı oluşturan herkes selden kurtarılanların başında, kimi yanında getirdiği temiz sularla çıkanların önce yüzünü yıkıyor, sonra da her birine şekerli su içiriyordu. Biz kardeşimle korku dolu gözlerle onlara bakıyor, bir yandan da annemizin elini daha sıkı tutuyorduk.

Neden şekerli su? Çocukluk işte, her şey gibi bunu da merak etmiştik. Annem, "Kızım, korkana şekerli su içirilir, sizin de aklınızda olsun e mi?" demişti bana. O gün annemden duyduğum bu sözü hiç unutmadım. Yıllar sonra doktor olunca bu şekerli su konusuna bu sefer bilimsel yönüyle baktım ve annemin ne kadar haklı olduğunu gördüm.

Tıpta hastanelerde yapılan ilk iş hastaya damar yolu açılarak serum takmaktır. En sık takılan serumun içinde ne vardır? Şeker... Yani hastalarımıza damardan şekerli su veririz. Su, ruha da, bedene de şifadır. Hele bir de o bir bardak şekerli su, çocukların başı okşanarak, onlara şefkat ve yakınlık göstererek içiriliyorsa, suyun ve şekerin şifası bir kat daha artar.

O günden hatırımda kalanlara geri dönecek olursak... Kimileri de yanında getirdikleri battaniyelere sarıyordu sudan çıkanları. Annemin cepleri zaten kâğıtlı şeker doluydu. Kadınlara, çocuklara bunları dağıtırken her birinin sırtını sıvazlıyor, onları rahatlatacak sözler söylüyordu.

O kalabalığın içinde benim yaşlarımda bir çocuk, annesinin ıslak eteğini tutmuş, "Annee, eve gidelim!" diye ağlıyordu. O gün orada gördüğüm hiçbir ayrıntı hafızamdan silinmedi ama o çocuğun gözlerinden akan yaşlar, iç çekişleri ise adeta zihnime kazındı. Çocuk yarı beline kadar suyla dolmuş evlerine dehşet içinde bakıyor, parmağıyla hep evini gösteriyordu. Kız kardeşimle sık sık birbirimize bakıyor, birbirimizden cesaret almaya çalışıyorduk. İkimizin de zihninden aynı şeyler geçiyordu, "Ya bizim evimiz de böyle olursa..."

Bir çocuk için, içinde yaşadığı evin ne kadar önemli olduğunu o günden sonra hiç unutmadım. Sadece çocuk için mi? Hepimiz için öyle. İnsanın bu tür bir felaketle evini kaybetmesi, en sevdiği yakınını aniden kaybetmesi kadar acı vericidir. Evlerimiz, bizi hayatın her türlü kötülüğünden ve tehlikelerinden kurtaran, koruyan, sarıp sarmalayan, bize güven veren tek sığınağımızdır. Bu ev bir kulübe bile olsa...

O evde dövülsek de, sövülsek de, aşağılansak da, hırpalansak da orası bizim evimizdir. O ev bizim, biz de o evin sahibiyiz. Dışarıda bulamadığımız güveni yine o evler verir bize. Yine o gün, sudan çıkarılan insanlara gösterilen merhamet, yakınlık, şefkat, onlara uzanan sıcacık bir yardım elinin ne kadar değerli olduğunu gördüm. Gecenin oldukça geç bir saatiydi ve insanlar nereye sığınacaklarını şaşırmışlardı. İşte o kalabalık, o insanları bir bir taşıdı kendi evlerine. Bize de, "Annee, eve gidelim!" diye ağlayan çocukla annesi düştü.

Önce banyoya girdiler çünkü ikisinin de üstü başı çamur içindeydi. Bu sırada annem üstlerine giyecek bir şeyleri çabucak buldu. Ardından sıcak bir çorba koydu önlerine. Evimiz küçüktü. İki odamız vardı. Birinde biz çocuklar yatardık, birinde de annemle babam. O gece biz çocuklar için annemlerin odasında yatak hazırlandı, misafirlerimiz de bizim odamızda kaldı.

Kadının eşi askerdeymiş. Ertesi sabah erkenden, anneme bin bir dua ederek çıktılar yola. Sonra nereye gittiler, ne yaptılar bilmiyorum. Ama eski Ankara işte böyle bir şehirdi. Herkes herkese sahip çıkar, insanlar birbirine yardım etmek için adeta yarışırdı.

Ne güzel yarışmış onlar! O yarışları özledik.

Bir de yine çocukken gördüğüm bir yangın var. O zaman yaşım biraz daha büyümüştü. Sanırım koleje başladığım yıldı. Artık daha geniş bir evde oturuyorduk. Leyla diye bir arkadaşımız vardı. Sarışın, çipil gözlü Leyla. Yıllar sonra onu gördüğümde çok güzel bir kadın olmuştu. Evleri bizim arka sokağımızdaydı. Yine gecenin bir vakti sokakta çocuklar, "Yangın vaarr!" diye bağrışıyorlardı. Hemen attık kendimizi sokağa. Evin önü kalabalıktı. Biz gittiğimizde Leyla'yı çıkarmışlardı evden. Anne babası da dışardaydı ama babaanneleri henüz evdeydi. İtfaiyenin uzaktan sesi geliyordu ama kendi bir türlü gelemiyordu. Leyla donmuş kalmış, çıra gibi yanan eve, isten dumandan kapkara olmuş yüzüyle bakıp duruyordu. Ne bir ses, ne bir tepki... Derken birileri ıslak bir battaniye getirdi. Kalabalıktan iki genç ıslak battaniyeye sarınıp fırtına gibi girdiler içeri.

Kalabalıktan sesler yükseliyor, "Eyvah, gençler de yanacak!" diye bağrışılıyor, kimi hortumla eve su sıkıyor, kimi bulduğu kovalarla su taşıyor, kimi de evinden ıslak çarşaf getirmeye koşuyordu. İtfaiye geldiğinde gençler sırtlarına aldıkları babaanneyi kapıdan çıkarmak üzereydi. Evden çıkanlar kapkara olmuş, saçlarından dumanlar çıkıyordu. Hep birlikte çıkanları bembeyaz ıslak çarşaflara sardılar, biri hortumla üzerlerine su sıkarken diğerleri kuru battaniyelerle yaralıları sarıp sarmaladı.

O zamanlar böyle durumlarda ambulans kolay gelmezdi. O gün de gelmedi. Herkesin arabası da yoktu. Köşedeki taksi durağının şoförleri zaten duruma çoktan el koymuş, arabalarını en yakın yere çekmiş, bekliyordu. Gençlerde çok yanık vardı. Babaannenin durumu ise kritikti. Zaten yatalak olan kadıncağızın saçları tamamen yanmış, gözleri korkudan yuvalarından fırlamıştı ama bağıracak, ağlayacak hali bile kalmamıştı. Kalabalık her birini taksilere yatırdı, sonra sıra evi yanan kişilere geldi.

Mahallenin kızları hemen Leyla'nın etrafında toplandık. Ancak kız bizi yanında görünce başladı ağlamaya. Anne babayı ise komşuları çoktan almıştı evlerine. Yangın etrafa sıçramadan söndürüldü ama ortada ev diye bir şey kalmamıştı ve simsiyah bir iskelet bakanlara korku salıyordu.

Günlerce o yangın gözümüzün önünden hiç gitmedi. Hiç yangın gördünüz mü bilmiyorum. Gerçi bu ara ülkemizde pek çok insan, ömür boyu hiç unutamayacakları büyük yangınlar gördü. Yangını bu kadar yakından görmek insanı çok etkiliyor. Alevlerin sarıdan pembeye, turuncuya, kızıla, arada bir de siyaha dönerek adeta gökyüzünü de yakmak ister gibi hızla yükselmesi, çıkardığı korkutucu sesler, yukarıdan aşağıya doğru sürekli kapkara bir şeylerin dökülmesi, etrafı saran simsiyah bir toz bulutu, sadece burnunuzu değil, yüreğinizi de yakan is kokusu...

Hâlâ geceleri kâbus görsem, içinde mutlaka o yangından izler vardır.

Yüzlerce, binlerce yılda oluşan doğanın en kıymetli hazinelerinden biri olan ve içinde binlerce canlının yaşadığı ormanları yakmak insanlık suçudur. Düşmanınız bile olsa bir ülkenin ağacına, toprağına, ormanına zarar vermeyin. Bir gün düşmanlıklar biter ama yok olan ormanı, zarar gören doğayı eski haline getiremezsiniz.

Biz insanların asıl evi dünyadır. Sevgili gezegenimiz sadece bizlerin değil, gelecek nesillerin yani çocuklarımızın, torunlarımızın da evidir.

Biz insanlar dünyamızın tek sahibi değiliz. Onlar yani dağlar, tepeler, ormanlar, denizler, hayvanlar, bizden çok önce var olmuşlar dünyamızda. Biz hepsinden sonra gelmiş, üstelik kendimizi dünyanın efendisi sanmışız. Oysa dünya, üzerinde yaşayan canlı cansız hepimizin. Hepsi varsa biz de varız. Bizler birbirimize hep muhtacız. Onun için birlikte, toplu halde yaşıyoruz ya...

Komşu komşunun külüne muhtaçtır derlerdi eskiler. Şimdilerde komşu komşuyu tanımıyor bile. Yan dairede adam öldürüyorlar, bu taraftakinin haberi yok. Oysa en çok ihtiyacımız olan güven duygusunu ancak birbirimizde bulabiliriz.

Ben yerine biz demeyi unutalı beri, yaşadığımız evin dışında her yer bize yabancı oldu. Elin evi, elin mahallesi, elin bahçesi, denizi, hayvanı, ormanı oldu. Elleri ruhlarımız düşman belledi. Onun için her yeri kirletiyor, çöplerimizi ortalığa bırakıp gidiyor, hayvanları korumuyor, bizim diyemediğimiz doğayı hunharca katlediyoruz.

Bir yandan da günümüzde biz diyebilmek eskisi kadar kolay değil. Dünyanın haline baksanıza! Eskiden az çok birbirimize benzerdik. Parasının hesabını bile bilmeyip o parayı nereye saçacağını şaşıranlar yoktu. Komşumuz açsa, biz tok, üzgünse biz mutlu yatamazdık. Kimse parasıyla böbürlenmez, parası olmayanlara tepeden bakmazdı. Bizler en çok okuduğumuz kitaplarla, bitirdiğimiz okullarla, sahip olduğumuz meslekle, ailelerimizle övünür, ailelerin de en büyük övünç kaynağı okumuş, bir meslek edinmiş namuslu, terbiyeli çocukları olurdu.

İnternette, her yıl dünyanın en zenginlerinin Amerika'da "Güneş Vadisi" adı verilen bir yerdeki dev bir tesiste bir araya geldiğini okudum. Adına "Yaz kampı" denen bu toplantıya dünyanın en zengin 25 iş insanı katılmış. Kampa katılanların toplam servetlerinin ise 825 milyar dolar olduğu yazılıydı.

825 milyar dolar ne demek, bir türlü hayal edemedim. Kimileri bu paranın dünya nüfusunun yarısının tüm varlıklarından bile fazla olduğunu söylüyordu. Çalışmışlar, akıllarını kullanmışlar, kazanmışlar. Kimsenin malında mülkünde, kazancında gözümüz yok ama dünyalılar "ben" demeye, yoksul ülkelerin sırtına binmeye devam ederse, dünya elden gidecek, bu paralar o zaman kimsenin işine yaramayacak. Onun için mi uzayda kendilerine yer arıyorlar acaba? Hal böyleyken, hadi şimdi gel de dünyalılara "biz" de...

Özellikle yaşadığımız bu salgın bize gösterdi ki, dünyanın öbür ucunda bir gariban Corona'ya yakalandıysa, bizim sağlıklı kalma şansımız yok. O açsa, çocuklarının bile karnını doyuramıyorsa, hastalarına bakacak doktor, verecek ilaç yoksa, bazıları muhteşem malikânelerde yaşarken o kendine, başını sokacak küçük bir kulübe bile yapamıyorsa, bu işte bir terslik yok mu sizce de?..

İnsan kutsal bir varlıktır aslında. Bunca canlının arasında en üstün özellikleri Yaradan ona vermiş. Bize bahşedilen bu üstün yetenekleri, aklımızı, zekâmızı, vicdanımızı böyle mi kullanalım?

Bizler en çok birbirimizin yaralarına derman olduğumuzda, sıcak yardım elini esirgemediğimizde, komşumuz açken tok yatmadığımızda, birbirimizin acısıyla hüzünlenip, mutluluğuyla keyiflendiğimizde güzeliz.

En çok "biz" olduğumuzda güzeliz...

Kadınlarımızı öldüren hasta adamlar

Ben eğer bugün doktor olabilmişsem, üzerinde yaşadığım topraklara vatanım diyebiliyorsam, istediğim konuda köşe yazıları yazabiliyorsam bunu vatanımızın düşman işgalinden kurtarıldıktan sonra 29 Ekim 1923'te ilan edilen cumhuriyete borçluyum.

Eşimi 14 yıl önce kaybetmeme rağmen yalnız ve özgür yaşayabiliyor, seyahat edebiliyor, kendi paramı kendim kazanabiliyor, seçimlerde gidip istediğim partiye oy verebiliyorsam, bunu sevgili Atatürk'ümüz önderliğinde kurulan cumhuriyete ve hayata geçirilen yepyeni ve devrim niteliğindeki kanunlara borçluyum.

Uzun yıllardır devam eden hatta giderek artış gösteren kadın cinayetlerinden ve bu cinayetlerin bir bölümünü işleyen hasta adamlardan söz etmek istiyorum.

Bir psikiyatrist olarak bu cinayetlerin çoğunun bu hasta adamlar tarafından işlendiğine neredeyse eminim. Medyadan bu cinayetlerle ilgili haberleri okurken ya da izlerken o birkaç dakika içinde bile, katilin hasta bir adam olup olmadığını hissedebiliyorum. Bunu sadece ben değil birçok meslektaşım da kolayca anlayabiliyor.

Hayatının tehlikede olduğunu fark edip polise başvuran kadınlarımızı ise ya halen yürürlükte olan yasalarımız korumıyor ya da var olan yasalar gerektiği gibi uygulanamıyor.

Bunu sadece ben değil, hepimiz, her gün görüyor ve duyuyoruz. Kadının şikâyetleri onu korumaya yetmiyor. Sonunda o kadın bütün çabalarına rağmen yine de göz göre göre öldürülüyor.

Daha sonra iş yargıya intikal ettiğinde, o adamların bir kısmının hasta olduğu zaten kısa sürede anlaşılıyor ve doktorlar tarafından bunu belgeleyen raporlar geliyor mahkemeye. Bu hastaların çoğunun cezai muafiyeti vardır. Yani akıl sağlıkları bozuk olduğu için ya hiç ceza almazlar ya da cezaları önemli ölçüde azalır. Teşhis kesinleşirse bir süre devlete ait hastanelerin özel bölümlerinde tedavi görür, bir süre sonra da çoğu serbest bırakılır.

Biz bu hastalıklara, pek çok değişik formu varsa da genel olarak "paranoid bozukluk" diyoruz. Eminim çevrenizde çok hafiften başlayıp dozu giderek artan bu tür hastalıklı insanlar vardır çünkü bu hastalık bizim ülkemizde oldukça yaygındır. Bazen hafif bir kişilik bozukluğu seviyesinde devam eder bazense tehlikeli bir hastalık haline dönüşür.

Bu insanların en önemli özelliği çok alıngan ve şüpheci olmalarıdır. Eğer bu özellikler çok yoğun değilse bunlar sadece bir kişilik özelliği olarak kalır ve eğer o adamların eşi ya da çocuğu değilseniz, toplum içinde kimseye pek fazla zarar vermeden hayatlarını sürdürebilirler. Ancak evde işler, dışarıdan göründüğü gibi değildir. Başta eşleri olmak üzere evde yaşayan herkesin burnundan getirirler. Eşlerini, şunu giyme, bunu takma, oraya gitme, eve niye geç kaldın, yine neredeydin, dün gece gittiğimiz yemekte o adama niye baktın, senin gözün zaten dışarıda zaten, gibi soru ve yorumlarıyla sürekli bunaltırlar. O evde yaşayan çocuklar da bunlardan nasibini fazlasıyla alır.

Hastalık boyutuna gelen durumlarda ise kişi artık tamamen kendi yarattığı bir dünyada yaşar ve gerçek dışı düşüncelere saplanır. Özellikle erkeklerde daha sık görülen bu hastalıkta, hasta erkeklerin de çoğu eşlerinin ya da sevgililerinin onları aldattığını, başka erkeklerle ilişki kurduğunu ya da başka erkeklerin kadını onların elinden almaya çalıştığını düşünür ve zamanla buna sarsılmaz bir inançla saplanır kalır.

Bu gerçek dışı düşünceleri nedeniyle beraber oldukları kadınları önce sorularıyla bunaltır, aşağılar, hakaretler eder, döver, söver, kadının söylediği hiçbir şeye inanmaz, kadın ondan uzaklaştıkça da şüpheleri iyice artar. Demek ki haklıyım, eşim ya da sevgilim beni sevmiyor, beni aldatıyor olmalı ki benden ayrılmaya kalkışıyor, diyerek kadına gösterdikleri şiddeti giderek artırırlar. Kadının onlardan uzaklaşmasındaki kendi paylarını hiç görmezler.

Kadının polisten yardım istemesi, onu adli makamlara şikâyet etmesi ise artık o hasta adamın şüphelerinde ne kadar haklı olduğunun kanıtı haline gelir; eşini ikna çabaları işe yaramaz çünkü o adamlar asla ikna edilemez ve onlardan ayrılmaya kalkışan, kendisini aldattığını, namusunu kirlettiğini düşündükleri bu kadınları öldürmek tek hedefleri haline gelir.

Mahkemede hâkime eşlerinin ya da sevgililerinin uzun süredir onları aldattığını, bu cinayeti de namuslarını temizlemek için işlediklerini söyler ve asla pişmanlık duymazlar. O kadın zaten ölmeyi çoktan hak etmiştir. Asıl haksızlığa uğrayan ölen kadın değil, onlardır. Buna da sonuna kadar inanırlar.

Kadıncağız ölmekle de kalmaz, bir de eşini aldatmakla itham edilir. Geride kalan çoluk çocuk ve aile ise işin aslını ya bilir ya bilmez. Bilse de o kara leke alınlara sürülmüştür artık. Ya çıkar ya çıkmaz.

Bu hasta adamlar sadece eşleri için değil, çevredeki diğer erkekler için de büyük bir tehlike arz eder. Çok alıngan, çok kıskanç oldukları ve bitmez tükenmez aşağılık duyguları nedeniyle yakın çevredeki bütün erkekleri kendilerine rakip olarak görür, eşlerini onlardan kıskanırlar. Eşleri kadar o adamların da her hareketini, her bir mimiğini bile dikkatle takip eder ve bunlardan bir şeyler çıkarmaya çalışırlar. Bu anlamda komşu ya da akraba erkekler, bir de üstelik ondan daha yakışıklı ve gösterişliyse, ondan üstün özellikleri varsa, o adamlara düşman olurlar. Bir süre sonra o adamların kendi karısını baştan çıkarmaya çalıştığına inanabilirler. İşte o zaman da hiçbir şeyden haberi olmayan o masum erkeklerden biri hedef haline gelir.

Bu yüzden kardeşini, yakın akrabasını ya da komşusunu öldüren pek çok hasta adam vardır.

Bundan yıllar önce vahşice işlenen bir cinayeti gazete ve televizyonlar uzun uzun göstermiş, bir süre sonra da katilin eşi, kızıyla birlikte bana gelmişti. Saynur Hanım o zaman 35 yaşlarında, başı örtülü, temiz ve aydınlık yüzlü bir kadındı. Eşi bir sabah her zamanki gibi işe gidiyorum diye erkenden evden çıkmış, akşam eve yine zamanında gelmiş, gece geç saatlerde evlerinin önünden gelen feryatları duyunca hep birlikte kendilerini sokağa atmışlar ve içinde polislerin de olduğu büyük bir kalabalıkla karşılaşmışlardı.

Evlerin arkasındaki kümeste bir erkek cesedi bulunmuştu. O cesedin yan komşuları Mehmet Bey'e ait olduğu anlaşılınca adamın çoluk çocuğunun feryatları mahalleyi ayağa kaldırmış, hemen polis çağırmışlardı.

Mehmet Bey mahallede çok sevilen biriydi. Komşuların çoğu küçük esnafken o devlet memuruydu. Her sabah özenle giyinip evden çıkar, akşam eve zamanında gelir, diğerleri gibi çoluğunu çocuğunu dövmez, sövmez, herkese kibar davranırdı. Bu yönleriyle mahalleye örnek olur, bütün komşular onu sever ve sayardı. Böyle bir adamı kim öldürmüş olabilirdi?

Kimseye borcu harcı da yoktu. Eşi de zaten çok becerikli bir kadındı. O da komşuları tarafından çok sevilirdi. Üstelik adamcağıza ölmeden önce çok eziyet edilmişti. Yani biri onu çekip vurmamış, özel olarak kümesin oraya götürülmüş, ne olduysa orada olmuştu.

Polisin yaptığı araştırmalar sonunda, Mehmet Bey'in sabah evden çıktıktan hemen sonra Saynur Hanım'ın eşi tarafından hunharca öldürüldüğü ortaya çıkmıştı. Katil de zaten kısa sürede suçunu itiraf etmiş, mahkemede şöyle demişti: "Mehmet yakışıklılığına güvenip kadınlara caka satıyordu. Kadınların da gözü ondaydı ama herif gözünü benim karıya dikti. Yıllardır karımı ayartmak için uğraşıyordu. Benimki baştan herife yüz vermedi ama sonra o da çıktı yoldan. Benim gözümden kaçmaz bunlar. İkisi de beni aptal yerine koydular. Ben de hiç açık vermedim. İkisinin de niyeti belli... Sonunda kafamdan plan yaptım ve o gün bir bahaneyle onu kümesin oraya çektim. Sonra da aldım ayağımın altına, kadınlara nasıl caka satılırmış gösterdim. Herif ölürken bile yaptığını inkâr etti. Doğruyu söylese belki de öldürmezdim ama o ölümü hak etti."

Hem Saynur Hanım hem de kızı o gün klinikteki odamda çok ağladılar. Zaten yıllardır bu adamın onlara etmediği eziyet kalmamıştı. Kadıncağız çocuklarıyla birlikte her şeye boyun eğmiş, o evde hep korkuyla yaşamışlardı. Kocasının çok şüpheci ve kıskanç olduğunu bildiğinden Saynur Hanım evden pek dışarı çıkmaz, eve de hele erkekli misafir hiç çağırmazmış. Yine de perdenin kıvrımlarının sabahki gibi olmadığı, camdan kim bilir kimleri gözetlediği bahanesiyle bile akşamları dayak yermiş. Bu dayaklardan birinde kocasının elinde kalacağından korkarmış zaten ama durup dururken masum bir adamı öldüreceği hiç akıllarına gelmemiş.

"Mahalleli haklı olarak bizim orada daha fazla oturmamızı istemedi. Kocam hapse girince bizim eve ekmek getiren de kalmadı. Şimdi ben iş arıyorum kendime ama benim bir yerde çalıştığımı duyarsa, hapisten çıkar çıkmaz bu sefer de beni öldürür" demişti Saynur Hanım.

12 yaşındaki kızı ise bu olaydan sonra hastalanmış, gece kâbuslar görmeye başlamış, yemek de yemeyince iğne ipliğe dönmüştü. Çocukların hiçbiri o evde yalnız kalmak istemiyor, hepsi de ölmekten, öldürülmekten korkuyordu.

O sıralar elimden geldiğince o aileye destek olmaya çalışmış, onları çoluk çocuk sık sık kliniğe çağırmış, her birini tek tek dinlemiştim. Kısa sürede katilin ağır ruh hastası olduğu belirlenmiş ve kendisi mahkûmların kaldığı hastaneye havale edilmişti.

Eğer Saynur Hanım yediği dayaklardan, evde hem ona hem de çocuklara yaptığı işkencelerden bunalıp eşinden ayrılmaya kalksaydı, ki bunu çok düşünmüş, bu sefer öldürülen Saynur Hanım olacaktı. Kadıncağız bir yandan da "O adam benim yerime öldü" diye ağlıyordu.

Ne büyük bir dram, ne büyük bir aile faciası değil mi? Suçsuz yere bir akıl hastası tarafından öldürülen Mehmet Bey'in ailesinde kim bilir ne acılar yaşandı. Ülkemizde bu tür acıları pek çok aile yaşıyor. Biz haberlerde işin sadece son perdesini görüyor ya da duyuyoruz. Ne başını biliyoruz ne de sonra o ailelerin başına neler geldiğini.

İşte o kadınların çoğu bu hasta adamlar tarafından öldürülüyor ve asıl hedef çoğu zaman bu hasta adamların eşleri ve sevgilileri oluyor.

Akıl sağlığı yerinde olmayan bir adamı, suç işledi diye mahkûm edemezsiniz. Hiç kimse hasta da olmak istemez, katil olup ömrünü cezaevinde geçirmek de. Bu hasta adamların geçmişine baktığımızda onların da çocukluklarında çok ağır şiddete maruz kaldıklarını, ailede hiç sahiplenilmeden, değer verilmeden büyüdüğünü görürüz.

Devlet bu hasta adamları toplumdan izole edebilir, tedavi olmalarını, daha sonra da bu tedavilere aksatmadan devam etmelerini, çıkaracağı yasalarla sağlayabilir.

OECD 2019 verilerine göre ülkelerde fiziksel şiddet, cinsel taciz ve tecavüz oranlarının bazıları şöyle: Pakistan %85, İran %66, Türkiye %38, ABD %36, İngiltere %29, Hindistan %29, Fransa %26, Almanya %22, Rusya %20, Yunanistan %19, Kanada %2.

Bu oranlara bir başka gözle bakarsak, Pakistan'da yaşayan her yüz kadından 85'i, Türkiye'de yaşayan her yüz kadından 38'i, Kanada'da yaşayan her yüz kadından sadece 2'si erkekler tarafından dövülüyor, sövülüyor, cinsel taciz ya da tecavüze uğruyor. Demek ki bu oranlar ülkeler arasında çok değişiklik gösteriyor.

2010-2017 yılları arasında yani 7 yılda ülkemizde 1964 kadın öldürülmüş. Bunlardan 614'ü boşanma davası, ayrılık sürecindeyken şiddet, tehdit ve tacize de maruz kalmış. 1224 kadını ise eşi, eski eşi, sevgilisi ya da eski sevgilisi öldürmüş. 2017'den günümüze kadar kaç kadın öldü, nasıl ve kimler tarafından öldürüldü sorusunun netleşmiş istatistiklerini şimdilik bulamadım.

Ancak kadın cinayetleri yalnızca psikolojik sorunlar nedeniyle işlenmiyor. İçinde bulunduğumuz sosyoekonomik koşullar nedeniyle benliği zedelenmiş erkeklerin yanı sıra, kadının, işgücü piyasasına girişiyle artan gücüne, geleneksel erkeğin tahammül edememesi de bu cinayetlerde önemli bir rol oynuyor.

Konuyla mücadele etmek üzere kurulan sivil toplum örgütleri, vakıflar ve gönüllülerce kurulan dernekler de kadın cinayetlerini durdurabilmek için canla başla çalışıyorlar ancak bu çalışmalar yasalarla desteklenmedikçe kadınlarımızın vahşice öldürülmesini durduramayacağımız belli.

Ben de yıllardır bu acılı hikâyeleri kadınlardan çok kere dinlemiş bir psikiyatrist ve yazar olarak elimden geleni yapmaya, yazmaya, çizmeye, konuşmaya ve televizyon dizilerinde bu konuları sıkça göstermeye ve konunun takipçisi olmaya devam ediyorum/edeceğim.

Nöbetçi doktor

Geceleri hep geç yattığım için sabahları dokuzdan önce kalkamam ve erkenden kalkıp da güneşin doğuşunu izleyenlere hep imrenirim. Hacettepe'de nöbetçi olduğum günler gelir aklıma. Nöbette uyuma şansımız pek olmazdı. Ya klinikte yatan hastalarla ilgilenirdik ya da sık sık acilden çağırırlardı. Acil servisler psikiyatri bölümlerinden en çok intihar vakaları nedeniyle konsültasyon isterler. Genelde her gece birkaç intihar vakası mutlaka gelirdi. Bayram seyran, yılbaşı gibi özel günlerde bu sayı artardı. Demek ki özel günlerde insanlar daha hassas oluyor.

Gece kuşu olsam da, saat üçü geçince kulaklarım düşer, yatağın yolunu zor bulurum. Bu yüzden hayatımda gece üçten sonrası pek yoktur benim ama nöbetteysen uyumayacaksın. Ben de içimden derdim ki, "Madem uyumuyorum, bari hayatın hiç yaşamadığım saatlerini de göreyim." Hacettepe'nin koridorlarında üzerimde beyaz doktor gömleğimle gezerken bile aklım hem içeride hem de dışarda akan hayatta olurdu.

Neler neler geçerdi aklımdan. Hastanede dört gözle sabahı bekleyen hastalar bir yanda, sıcak evinde yorganına sarınmış, uykunun en derinini uyuyanlar bir yanda dururdu kafamda. Bir süre sekizinci kattaki nöbetçi doktor odasının penceresinden Ankara'nın uzaktan titreyen ışıklarına bakar, oradan sekiz kat alttaki acil servisin koridorlarındaki kalabalığın içine dalardım.

Acil servislerde gece gündüz yoktur. Orada herkes, her an işinin başındadır. Saatin kaç olduğuyla kimse ilgilenmez. 24 saat yaşar acil servisler. Oradan oraya koştururken işi olmayan kimse kimseye doğru dürüst selam bile vermez. Hep bir uğultu vardır acilin koridorlarında. Bağıranlar, çığlık atanlar, ağlayanlar, oradan oraya koşturanlar, sürekli açılan kapanan kapılar, hızla çekilen sedyelerin şangırtısı, yine sedyelerin tekerleklerinin gıcırtısı, yatakları birbirinden ayıran perdelerin bir o yana, bir bu yana çekilme sesleri, enjektöre çekilmek için hemşireler tarafından kırılan ampullerin çıt edişleri, "Hemşiraanım!" diye bağıran doktorlar, "Doktor bey, doktor hanım" diye feryat eden hemşireler...

Siz de girersiniz o kargaşanın içine...

Bir de yaşam ile ölüm arasında geçen saniyeler çok önemlidir acil servislerde. O tür hastaların acilin kapısından içeri girmesi bile farklıdır. Ambulanstaki görevliler böyle bir hasta getirdiklerini zaten önceden servis doktorlarına haber verirler. Gelen ya kalp krizi geçirmektedir, ya kazadan sağ kurtulanlardır ya da kavgada yaralananlardır. Bir de bıçak ya da kurşun yarası alanlar, zehirlenmeler ve intihar vakaları vardır.

Mevsim yazsa boğulmalar da sık gelir. Sanırım son zamanlarda bütün bunlara bir de yangında yaralananlar, selden zarar görenler eklendi.

Gelen hastalara ilk yardım zaten ambulans görevlilerince yapılmıştır ancak durum kritiktir.

İşte böyle durumlarda acilin öbür ucundan servise böyle bir hasta geldiğini anlarsınız. Zaten var olan gürültü patırtı bir anda artar. Bir grup doktor ve ellerinde önceden hazırlanmış enjektörleriyle koşan hemşireler, önüne çıkan herkese çarparak koşarlar. Sedyenin etrafı bir anda dolar. Hatta bazen doktor sedyenin üstüne bile çıkar, kalp masajı yapmak için. Hemşirelerin her biri hastanın etrafında, ne yapacağını bilen birinin kararlılığıyla hareket eder. Kimi kolundan tansiyon ölçerken, kimi diğer koluna bir an önce serum takabilmek için damar yolu açmaya çalışır. Kanaması varsa kimi kanı durdurmaya çalışırken, kimi çoktan kan arayışına başlamıştır. O gürültünün içinde herkes yine de birbirini duyar. Doktorların her biri hemşirelerden başka bir şey ister ve onlar koşarak istenileni yapmaya çalışır. Doktor o anda artık dünyadan tamamen kopmuştur. Bütün dikkati, aklı fikri, bildiği bilmediği her şeyi elinin altında can çekişen hastanın üzerindedir. Onu Azrail'in elinden alabilmek için bütün gücünü kullanır.

Hiç unutmam, öyle günlerden birinde acile Hacettepe'de görevli doktor hanımlardan biri anaflaktik şokla getirilmişti ve o anda ben de oradaydım. Yediği bir şey alerji yapmış, bir anda nefes alamaz hale gelmişti. Allahtan hastaneye yakın bir yerde oturuyordu ve gecikmeden getirmişlerdi. Kızcağız ölmek üzereydi. O gün adeta acilde ölüm kalım savaşı yaşanmış, herkes birden sedyenin etrafını sarmış, doktorlar, hemşireler birbirinden komut almadan kıza her türlü müdahaleyi yapmış ve genç doktorumuzu hayata geri döndürmeyi başarmışlardı.

Onun kurtulduğunu görünce terden sırılsıklam olan acilin kahramanları derin bir oh çekerek acilin bahçesine çıkmış, "Su yok mu, su!" diye içeri sesleniyorlardı. Ne kadar yorulduklarının, ne büyük bir stres yaşadıklarının kendileri bile farkında değildi. Onlar görevlerini yapıyordu.

Doktorluk güzel olduğu kadar da zor bir meslektir. En küçük bir hatanızda ya da en olmadık zamanda yaptığınız en küçük bir ihmalde hastayı kaybedebilirsiniz. Doktor eğer elinden geleni yaptığından eminse, yine de kayıptan etkilenir, üzülür. Ancak emin değilse bu kayıp doktoru çok daha kötü etkiler. İçini derin bir suçluluk duygusu kaplar.

Doktorlar bunu aralarında pek konuşmazlar çünkü kayıptan duyulan üzüntü bir de etrafa yayılsın istemezler. Hani halk arasında eskiden çok söylenen bir söz vardı ya, "Erkekler ağlamaz..." diye, sanırım benzer bir şeyi doktorlar da hisseder ve zihinlerinde, "Doktor ağlamaz..." diyen bir ses yankılanır durur.

"Kırmızı Oda" dizisinde doktor rolünü oynayan sevgili sanatçımız Binnur Kaya da, arada sırada hastalarından çok etkilenip ağlıyor. Herkes onun orada rol yaptığını, oyuncu olarak ağlaması gereken sahnelerde ağladığını sanıyor. Oysa o dizinin hikâyelerini veren biri olarak size açıkça söylemek isterim ki, biz ona hiçbir zaman ağla demiyoruz. Senaryonun hiçbir yerinde doktora "ağla" diyen bir kelime bile yok. Ancak bazen senaryo öyle acıklı oluyor ve hastayı oynayan oyuncu da rolüne kendini öyle bir kaptırıyor ki, Binnur onu dinlerken ağlamadan duramıyor. Ne de olsa sevgili Binnur Kaya tıp eğitimi almamış. O bir doktor değil, son derece işinin ehli bir sanatçımız ama hepsinden öte o bir insan; duyguları çok yüksek bir insan...

Buna rağmen seyircilerimizden arada bir, "Doktor neden ağlıyor!" diyen tepkiler aldık. Demek ki sadece doktorların değil, halkın da zihninde aynı şey yazılı: "Doktor ağlamaz!"

Ağlamaya bile hakkı olmayan doktor ve hemşirelerimizin kıymetini biliyor muyuz diye sorsam mı acaba?

Böyle biraz katı olmaya, duygularımızı belli etmemeye henüz tıp fakültesi öğrencisiyken yavaş yavaş hazırlar bizi hayat. Daha ikinci sınıfta, anatomi dersinde kadavralarla karşılaşırız. O kadavraya hiçbir tepki göstermeden bakmak ve sonra da dokunmak zorundadır öğrenciler. Tıp fakültesi ikinci sınıf öğrencisi henüz kaç yaşındadır ki?.. Olsa olsa 19, 20 ya da 21.

Ben o günü de hiç unutmuyorum. Sanırım henüz 19 yaşındaydım ve ilk kez bir kadavra görecektim. Koca salon buz gibiydi, değişik bir koku yayılıyordu etrafa ve salondaki masaların üzerinde rengi kahverengiye dönmüş ölü insanlar yatıyordu. İçimden dualar ederek, her yanım korkudan kaskatı girdim içeri. Diğer öğrencilerin de benden bir farkı yoktu. Kimi kadın, kimi erkek, kimi genç, kimi yaşlı kadavraların başına dizildik. Bir zamanlar, bizim gibi o da yaşıyordu. Bir ailesi, kafasında kim bilir ne sorunları vardı. Neden ölmüştü acaba? Acemilik işte... Bu sorulardan zihnimi bir türlü kurtaramıyordum.

Zamanla her şeye alışıyor insan. Gerçi ben buna en az alışabilen doktorlardan biriyim hâlâ... O salonda tam bir yıl o kadavralara dokunduk, elledik, tek tek tüm organlarına baktık, her yana uzanan sinirleri ortaya çıkardık, kestik, biçtik, sonra da kadavra başında sınava girdik.

Yine acil servislere geri dönecek olursak, içerde doktorlar oradan oraya koştururken bir de kapının önünde hastalarının durumunu merak eden aileler vardır. Hepsi korku ve telaş içindedir. Hastaları acil servislere alındığına göre durumu kritiktir. Kimi ağlar, kimi bir haber alabilmek için kapıları zorlar, bağırır, çağırır, olay çıkarır. Bir taraftan onlar da haklı. Öldü mü, kaldı mı bilmiyorlar ancak büyük hastanelerin acil servislerinde öyle hızlı bir tempo vardır ki, oradaki görevlilerin hasta yakınlarına ayıracak pek fazla vakti olmaz. Kimi hasta doğrudan ameliyat edilmek üzere cerrahi servislere yönlendirilir, kimine gerekli tedavi yapılıp taburcu edilir.

Özellikle kapasitesi yüksek üniversite ya da devlet hastanelerinde, sürekli acilde çalışan doktorların yanı sıra, her klinikte birden fazla nöbetçi doktor bulunur. Klinikteki nöbetçiler hem o klinikte yatan hastalardan sorumludur, hem de acilin ihtiyaçlarına cevap vermek zorundadır.

Doktor eğer hastasını öyle ya da böyle kaybetmişse, bunu aileye söylemekte çok zorlanır. Birkaç dakika kendini buna hazırladıktan sonra, olabildiğince duygusuz bir yüz ifadesiyle çıkar ailenin karşısına. Bu da, üzerlerine giydikleri doktor önlüğü gibi, ruhlarına giydirdikleri çelik yelek gibidir. Nasıl ki o önlük çoğu zaman kan revan içinde kalabiliyorsa, doktor gerekli önlemi almazsa, ruhu da aynı derecede yara alır.

Ne de olsa doktorun işi sabah erkenden, her gün kim bilir kaç kişinin hayatını kaybettiği o hastanededir. Eğer ruhuna çelik yelekleri giydirmezse, herkes gibi hayatını devam ettirmesi çok zor olur.

İşte benim için de durum böyleydi. Acilden çağırdıkları anda, koşarak klinikten çıkar ve acil servise gitmek üzere asansöre binerdim.

Beni çağıran acil doktorunu bulur, önce bana verdiği bilgileri alır, sonra da hastanın bulunduğu yatağa yaklaşır, aradaki perdeyi çeker ve onunla konuşmaya başlardım. Benden önce hastanın hayati durumu için gerekli müdahaleler yapılmış olur, hayati tehlikeyi atlattıktan sonra görüşürdüm hastalarla. Bunların büyük kısmı intihar girişiminde bulunanlar olurdu. Hepsinin de ölmek için irili ufaklı pek çok sebebi vardır ama yaşamak için sebep kalmamıştır onlara göre

Çoğu da genç olurdu. Gençler bilmez hayatın değerini. Bunu bile yaşadıkça öğreniyor insan.

Psikiyatristler için en küçüğünden en büyüğüne kadar bütün intihar denemeleri önemlidir. Bizler bunu çok ciddiye alırız çünkü biliriz ki, bir kere denemişse, ailenin bunu çok ciddiye alması gerekir. Yeniden deneme ihtimali yüksektir.

Hastayla işim bitince sıra aileyle görüşmeye gelirdi. Aile bana daha geniş bilgi verir, ben onlarla uzun uzun konuşur, durumu ciddiye almalarını, mutlaka bir an önce psikiyatri polikliniğine başvurmalarını önerir, hatta bazılarının hastaneye yatışını, sonra da hastanın acildeki doktoruna gerekli önerileri yapar, ilaçlarını verir, hasta dosyasını doldurur, öyle çıkardım acilden.

Acilden çıkınca, saatler de epeyce ilerlemiş, sabah olmak üzereyse genellikle Hacettepe'nin 7 nolu kapısından elimde bir fincan kahveyle çıkar, gündüzleri hasta sahiplerinin oturduğu banklardan birine oturur, güneşin doğuşunu beklerdim. Acil servisin aksine burada çıt çıkmaz, gecenin karanlığı ve sessizliğine bırakıverirdim kendimi. O zaman ruh halim bir anda değişir, gökyüzüne baktıkça dünya adlı bir gezegende küçücük hissederdim kendimi.

Orada üşüsem de oturmaya devam eder, güneş ne zaman doğacak diye bekler dururdum. Arada bir yanımdan geçen hasta sahipleri ya da bir yerden bir yere malzeme getirip götüren müstahdemler beni orada görünce önce irkilir, sonra başlarıyla beni hafifçe selamlayarak yollarına devam ederlerdi.

Kulağım seste, etrafa bakınırken beklediğim ses çok uzaklardan gelirdi. Sabah ezanının sesi... Her ezan sesi başka türlü etkiler insanları ama o sessizlikte şehre yayılan sabah ezanının sesi, insanın tüylerini diken diken eder.

Huşu içinde, hiç kıpırdamadan dinlerdim ezanı. Bittiği anda, derin bir uykudan uyanır gibi gözlerim gökyüzünü taramaya başlardı. O ses zaten bunu bana önceden haber vermişti. Artık gün doğacaktı.

Önce hafif bir mavilik belirirdi. Elimdeki kahve fincanının ve üstümdeki doktor gömleğinin beyazı seçilir hale gelirdi. Asıl şölen ondan sonra başlardı. Sanki sürekli değişen bir renk cümbüşü başlardı gökyüzünde. Maviden kızıla doğru dönerken kat kat olurdu gökyüzü. Her katın rengi farklı. Başımı kaldırıp sürekli gökyüzüne bakmaktan boynum ağrımaya başladığı sırada hızla yerimden kalkar, girerdim içeri.

Uzun bir koridor vardı önümde yürümem gereken. O koridor bir türlü bitmez, bizim kata çıkacak asansörlerin önüne bir türlü gelemezdim. Arkamdan atlı kovalarmış gibi adeta koşardım asansörlerin başına. Bizim kata gelip de servisten içeri girince oh derdim, uzun bir yoldan evime gelmişim gibi...

O saatte hemşire odasında bir telaş başlamış olurdu. Nöbet değişimi... Kızlar nöbeti devretmeden önce yapmaları gerekenleri bitirmeye çalışır, beni de bir çay içmeye davet ederlerdi o odaya. Hemşire odasında kaynayan çayın dumanı, o saatte ilaç gibi gelirdi bana. O dumanda bir şefkat, bir kucaklama, bir güven duygusu vardı. "Yalnız değilsin" derdi bana o dumanlar.

Kahve üstüne içilen çay yorgunluğumu biraz alsa da, hiç uyumadan geçen bir günün sabahı insan kendini çok yorgun hissediyor. Nöbeti biten hemşireler giyinmiş giderken imrenerek bakardım onlara. Sonra yavaş yavaş doktorlar gelir, gün kaldığı yerden devam eder, ben de işe daldıkça unuturdum yorgunluğumu. Akşam olur, mesai biter, gömleğimi çıkarırken bu sefer de hemşireler bakardı bana imrenerek.

Öyle günlerde eve gitmenin keyfi bir başkaydı. Ne de olsa bir gün önce çıkmıştım evden. Kendimi, aylardır evimden uzaktaymışım gibi hisseder, yine atlılar kovalamaya başlardı beni. Kapıyı çalmanın heyecanıyla tırmanırdım merdivenleri. Hemen basardım zile...

Anahtarla açmak yerine kapıyı çalmak! Aman Tanrım! Dünyada bundan daha güzel, daha heyecan verici ne olabilir ki? Hem de evde beni dört gözle bekleyen ailem varken...

Şimdi genellikle kapıyı anahtarla açmak zorunda kalıyorum. Evde beni bekleyen kimse yok. Her kadın gibi anahtarı da uzun süre bulamıyorum çantamda.

Ne yapalım! İnsan her şeye alışıyor. Yalnızlığa bile...

Orası benim evim. Kırmızı koltuklarım, köşede yanan kırmızı lambam ve kitaplarım var.

Çalışma masam beni özlemiştir.

Yine yazılacak çok şey var.

İnsan zorda kalınca kendine tutunacak bir dal buluyor her zaman. Bu da Tanrı'nın biz insanlara en büyük armağanlarından biri galiba...

Kader motifi

Psikiyatrist olunca, hikâyeleri başka türlü dinlemeyi öğreniyor insan. Kızmadan, yargılamadan ama hikâyenin ne zaman ve kimler tarafından açılan yaralarla başladığını, kişiyi neden bu kadar etkilediğini, incittiğini anlamaya çalışarak, kendini onun yerine koyarak, her anladığını zamanından önce kişiye söylemeden dinlemeyi...

İnsanlar psikiyatriste giderken asıl sorunlarının ne olduğunu, geçmişte en çok nerelerinden yaralandıklarını bilmez. Kimi hep anlatır, kimi susar. Cevap ne anlatanın anlattığında, ne susanın suskunluğundadır. Gerçekler her zaman bizim gizli geçmişimizde ya da kişisel tarihimizde saklıdır.

Hakikati bulmaya çoğu zaman kişisel tarihimiz de yetmez. Ülkemizin, ailemizin, sülalemizin geçmişte yaşadıkları da etkiler kaderimizi. Anamız babamız, dedemiz, ninemiz, onların da dedeleri, nineleri ne yaşamış, nerede yaşamış, nasıl yaşamış? Başlarına ne gelmiş ne gelmemiş...

Bir de içinde yaşadığımız coğrafya vardır. Örneğin soğuk ve karanlık bir ülkede mi dünyaya geldiniz, sıcağı çok suyu az bir yerde mi?

Çorak topraklarla, vahşi bir doğayla mı mücadele etmeniz gerekti? Yoksa toprağı da suyu da bereketli, yazı kışı belli, ilkbaharı sonbaharı renkli Türkiye gibi bir ülkenin çocukları mısınız?

Küçük bir dağ köyü mü memleketiniz, kalabalık bir şehrin göbeğinde mi doğduğunuz ev?

Ailenizin bir zamanlar başına gelen travmatik bir hikâye var mı? Deprem, sel, çığ düşmesi, ölümle sonuçlanan bir silahlı baskın, hiç beklenmeyen bir intihar, kaza ya da göç gibi... Ailenizde katil olan ya da intihar eden var mı?

Dahası da var. O topraklar size çok çok büyük dedelerinizden, ninelerinizden mi miras kaldı, yoksa siz o topraklara misafir misiniz? O yurt, sizin yurdunuz mu, yoksa siz orada hep bir yabancı gibi mi yaşamak zorunda kaldınız?

Yaşadığınız sürece övüneceğiniz bir tarihiniz var mı? Anlı şanlı bir ülkenin çocukları mısınız? Çok uzak geçmişlerden gelen gelenek görenekleriniz var mı?

Allah'a inanıyor musunuz? İnanıyorsanız kitabınız hangisi? Kuran mı, İncil mi, Tevrat mı? Peygamberiniz kim? Hz. Muhammet mi, Hz. İsa mı, Hz. Musa mı?

O kitaplar sizlere ne diyor? Biri "Yaşa", biri "Sev" derken Kuran "Hem yaşa, hem sev, hem de oku" mu diyor? Siz gerçekten kutsal kitapların dediğini yapıyor, güzel yaşıyor, güzel seviyor, güzel güzel okuyor musunuz?

Bir inancınız bile mi yok? Bu ölümlü dünyada çok özgür ama bir o kadar da yalnız mısınız?

Varlıklı bir evde mi, yoksul bir evde mi doğdunuz? O ev, içinde yaşayan insanlar, özellikle de sizi karnında taşıyan, size kan veren, can veren anneniz nasıl biri? Sizi aylarca kucağına alacağı günü mü bekledi, yoksa onun zaten kendine ait bambaşka sorunları vardı da, sizi pek istemedi mi? Hatta sizden kurtulmaya uğraştıkça siz inatla hayata tutunup dünyaya gelmeyi başaranlardan mısınız?

O anne zamanında sevilmiş de sevmeyi zaten biliyor mu, yoksa bunu anneniz de mi hiç tatmamış? Zamanında tadına bakamadığı sevgiyi, şefkati, değeri size hiç verememiş, sizi boynu bükük mü bırakmış, yoksa sevmelere doyamamış mı?

Siz o eve gelen kaçıncı çocuksunuz? İlk mi, ortanca mı, en küçük mü? O evde zaten 8-10 çocuk var da, siz de sıradakilerden biri misiniz?

Kız mısınız, erkek mi? O toplumda hangisi daha değerli? Bir zamanlar kız doğunca onu hemen canlı canlı toprağa gömen toplumlarda mı dünyaya geldiniz, yoksa bir kızımız olsa diye adak adayan bir ailede mi açtınız gözlerinizi?

Siz doğduğunuz sıralar dünyada savaşlar var mıydı? Korkunun, açlığın, sefaletin kol gezdiği dönemlere mi rastladı sizin doğumunuz? Yoksa siz doğduktan hemen sonra aileniz bir başka yere göç etme telaşında mıydı?

Aile dört gözle sizi beklerken başlarına olmadık bir iş mi geldi? İflas mı ettiler, biri aniden hastalandı ya da öldü mü? Yoksa babanız siz doğmadan sizi terk etti de, babasız mı doğdunuz? Terk edip başka çocukların babası mı oldu, yoksa dünyayı hepten terk edip dönülmez yerlere mi gitti? Hiç olmazsa biri size dört elle sarılıp bağrına bastı mı?

İlk yedi yılı bu dünyada analı babalı geçirebildiniz mi? Özellikle ilk 1-2 yaşlarınızda anneniz şu ya da bu nedenle sizden bir süreliğine ya da tamamen uzaklaştı mı? Hastalandı da hastaneye mi yattı, babanıza kızıp evi mi terk etti, bir başka ülkeye çalışmaya ya da gezmeye mi gitti? Sahibiniz aniden ortadan kaybolunca siz o zaman ne hissettiniz, bu dünya sizi çok mu korkuttu, hâlâ o korkuları, o güvensizlikleri üzerinizden atamıyor musunuz? Ya da anne babanız boşandı veya biri öldü de siz hayata annesiz ya da babasız mı devam etmek zorunda kaldınız. Ya da anneniz sizi doğururken öldü de, anne yüzü göremeden, sahipsiz mi büyüdünüz?

Herkesin annesi varken annesiz, babası varken babasız büyümek nasıl bir şeydi?

Anne babanız varsa da size anneanne ya da babaanne mi baktı? Sonra, tam oraya alışmışken, orayı yuva bellemişken, olmadık zamanda sizi oradan çekip alıverdiler mi?

Kardeşiniz ya da kardeşleriniz o evde daha mı çok sevildi, sizden daha mı başarılı oldular?

Ailenizden birileri sizi aşağıladı mı, alay edip size olmadık isimler mi taktılar? Bunu aileniz yapmasa bile okulda arkadaşlarınızın diline mi düştünüz? Herkes sizden daha güzel ya da yakışıklıyken siz kendinizi hep çirkin mi buldunuz?

Çocukken hiç dayak yediniz mi? Yediyseniz, annenizin attığı terlikten mi bahsediyorsunuz yoksa hem canınızı hem de içinizi çok mu acıttılar?

İlkokul öğretmeniniz sizi sever ve beğenir miydi? Okulun itibarlı çocuklarından biri miydiniz, yoksa diğerleri sizi aralarına almaz mıydı?

Anne babanız sık sık kavga eder, bu kavgaların sonu bazen de dayakla mı biterdi? O zaman siz neler hisseder, ne yapardınız? İçlerinden birini korumak zorunda kalır mıydınız?

Mutsuz, hayata sitemkâr bir annenin ya da babanın çocuğu olarak mı geldiniz dünyaya? Anneniz size sık sık dertlenir, ağlar mıydı yoksa tam tersi o hep sizinle vakit geçirir, sizi dinler miydi?

Derslerinde başarılı, ödevlerini günü gününe yapan bir öğrenci miydiniz, yoksa çok çalışmasa da iyi notlar alabilen biri mi, yoksa hiçbiri mi?

Yani aile size fırsat verse de okumadınız mı? Neden bir türlü okuyamadınız? Gerçek nedeni biliyor musunuz? Haylazlık işte, deyip geçmeyin. Bunun altında yatanları sorun kendinize.

Aileniz her yıl sizin doğum gününüzü kutlar mıydı? Bayram, yılbaşı gibi özel günlerde bir araya gelir miydiniz? Aileniz sizin de o evde yaşadığınızın farkında mıydı?

Ne çok soru sordum değil mi? Ben bile yazarken sıkıldım. Sıkılırken de "İnsanları acaba bu sorularımla çok mu bunaltırım" dedim ama inanın bıraksanız daha neler soracağım, neler...

Hem her şeyi bilecek, anlayacak kadar akıllı olacaksınız, içiniz bir an önce doyurulmak isteyen arzu ve isteklerle dolu olacak, hem de toplu halde yaşamayı sevdiğiniz için bu arzuların çoğunu yok sayacak, bastıracaksınız. Her gün bir yenisi konan kurallara uyacak, o da yetmezmiş gibi vicdanınız en küçük yanlışınızda sizi affetmeyip durup durup vuracak başınıza.

Hem koca bir dünyanın efendisiyim ben diyerek gerine gerine gezecek, diğer canlılara dudak bükecek, burnunuz düşse eğilip almayacak, hem de küçücük imalı bir bakışla bile yüreğiniz paramparça oluverecek.

Vahşisiniz aslında. İçin için hepiniz biliyorsunuz bunu ama topluma çıkınca iki dirhem bir çekirdek, dünyanın en uysal en evcil hayvanı gibi davranacaksınız.

Böyle yazınca, yani insana hayvan deyince, duraksadım. Sahi bizler de o hayvanların bir türü müyüz yoksa yaratılan en kutsal varlıklar mıyız?

Hani biraz önce sordum ya, "İnsan olmak kolay mı?" diye... Soruları okudukça, bu soruları bir kere de kendinize sordukça, insan olmanın hiç de kolay olmadığını gördünüz mü? Sık sık içinize irili ufaklı hançerlerin saplanıverdiğini hissettiniz mi? Çok mu acıdı içiniz?

Bunlar da yetmezmiş gibi, hem ölümlü olduğunuzu bilecek, hem de hiç ölmeyecekmiş gibi yaşayacak, çalışacak, biriktirecek, daha fazlasını isteyecek, hiçbir şeye doyamadan da gideceksiniz.

Hem korkacak, hem de bir şeyleri korka korka yapmadan da duramayacaksınız. Kiminin ayağı taşa değse aklınız çıkacak, kiminin gidip gözünü oyacaksınız. Kimini baş üstünde taşıyacak, kiminin üstüne basıp geçivereceksiniz.

Kimi size iyi diyecek, size bakarken gözlerinin içi gülecek, kimi arkanızdan söylemediğini bırakmayacak.

Olacak o kadar... Sonuçta efendilerin de sorunları, yanlışları olabiliyor demek ki...

Her şeye rağmen kendinizi affettiniz, başkalarına gösterdiğiniz hoşgörüyü kendinize de gösterdiniz mi? (Aman burayı atlamayın. Kendi hoşgörümüze hepimizin öyle çok ihtiyacı var ki...)

Çocukluktan çıkıp biraz aklınız başınıza gelir gibi olduğunda, hep merak edeceksiniz kaderinizi. Nasıl olsa olmaz ama diyerek hayaller kuracaksınız. Kimini kıskanıp, kimine imreneceksiniz. Yıllar sonra kurduğunuz hayallerden daha büyüğünü hayat size verince, bir zamanlar, nasıl olsa olmaz diyerek kurduğunuz hayalleri unutacaksınız. Kavuşunca biten aşklar gibi, hakkını vermeyeceksiniz o hayallerin.

Ya da bütün hayaller hayal olarak kalacak. Herkes vuslata ererken size hasret düşecek.

Aşkın, tutkunun her çeşidi dönecek nefrete. Bir yandan kendinize kızacaksınız, bir yandan size hep haksızlık eden, herkese açtığı kapıları bir türlü size açmayan, kıymetinizi bir türlü anlamayan dünyaya. Öbür tarafa giderken bir gözünüz kapalı da olsa biri mutlaka açık gidecek.

Şimdi gelelim, size yazının başında sorduğum sorulara.

Çocukken çok merak ettiğiniz kaderiniz aslında o sorulara verdiğiniz cevaplarda gizli.

Doğduğunuz evde sizi kucağına alanların gözlerindeki bakışta gizli.

Yaşadığınız toprakların, kenarında dolaştığınız nehirlerin, göllerin, denizlerin dalgasında gizli.

İştahla yediğiniz ya da yemeye çekindiğiniz o ekmeğin burnunuza gelen kokusunda, o ekmeği size veren elin şefkatinde, merhametinde ya da merhametsizliğinde gizli.

Yaşadığımız ülke insanlarının kalplerindeki mühürlerde, yasalarda, kurallarda, ayıplarda, günahlarda, yaşadığımız çağın alışkanlıklarında, bizlere getirdiği yeniliklerde gizli.

Yoksulun çocukları kulübesinde aç yatarken, derde deva, hastaya şifa bulamazken, zenginin attığı çöpte gizli.

Kimi en iyi kolejlerde okurken, dağ başında okula ıssız yolları aşarak giden çocuğun, yarısı yırtık ayakkabısında gizli. Ancak... Hayat o kapıları hangisine açacak derseniz, o da kırılan ya da kırılmayan umutlarda gizli.

En çok da o çocukları dünyaya getiren ana babaların gözlerindeki bakışlarda gizli...

Kaderimiz hep bir yerlerde gizli ama sandığımız kadar uzakta değil, gözümüzün önünde, kişisel tarihimizde, geçmişimizde gizli.

Kaderimiz aslında doğduğumuz evlerde yazılır. Önce o evler, sonra da içine girmeye çalıştığımız toplum yaralar bizi. O yaralarla büyür, sonunda o yaraların bizi götürdüğü yere gideriz.

İşte çocukken alınan o kalp yaraları kimimizi abat eder, kimimizi de berbat.

Marifet, kaderimiz güzel olmasa da, hayatın bize kapattığı kapılara yeni bir anahtar uydurabilmekte...

Ruhsuz evin kızı Öznur

Neredeyse Anadolu'nun birçok yerinde, özellikle de Güneydoğu kültürü içinde, "Sen bir hiçsin" mesajıyla büyüyor bazı kız çocukları. İşte, onlardan biri olan Öznur'un hikâyesi bu.

Ben, Güneydoğu Anadolu'nun bir ilinde dünyaya gelen ve oranın kültürüyle büyütülen 21 yaşında bir kızım. Şu anda üniversite öğrencisiyim. İnşallah okul bitince öğretmen olacak ve yıllardır hayalini kurduğum hayata kavuşacağım.

Bu kültürde büyümek erkekler için büyük bir şansken kızlar içinse büyük bir şanssızlık. Gerçi burada yetişen erkeklere şanslı desem de, onlar da hayatın gerçek yüzünü tanımadan yetişiyor ve sonunda bizim gibi onlar da mutsuz oluyor.

Biz kızlara gelince, doğduğumuz günden itibaren bize verilen en önemli mesaj, "Sen bir hiçsin!" oluyor. Bizler insan kategorisinde bile değiliz. Aşağılık mahluklarız. Sanki bizi hiç istemeyen, hep reddeden bir dünyaya zorla gelmişiz. Bizim varlığımız bile onlara batıyor.

İsterseniz hikâyem annemden başlasın.

Annem genç kızlığında çok güzelmiş. Evlerine her gün görücüler gelir, bu kızı hangimiz kapacağız diye birbirleriyle yarışırlarmış. Annem bir süre gelenleri istememiş. Oysa aile kızlarını bir an önce birine verip ondan kurtulmak derdindeymiş. Dedem giderek kızmış bu işe, "Ne bu böyle... her geleni geri mi çevireceğiz. Ben seni bir an önce birine vereyim de gör!" diyerek söylenmeye başlamış.

Tam da o sıralarda eve birileri daha gelmiş. Yani babam... Oysa gelenlerin niyeti, bu kadar methedilen kızı sadece görmekmiş. Dedem, onlar daha istemeden, "Ben kızı size verdim gitti" deyince herkes şaşırıp kalmış. Kimse bir şey diyememiş. Oysa onlar, Sakıp Ağa kızı zaten bize vermez ama hiç olmazsa kızı görmüş oluruz, diyerek gelmişler eve.

Derken dedem böyle deyince gelenler çok sevinmiş, annemin ağlamaktan gözleri şişmiş ama hemen düğün dernek kurulmuş ve annem hiç istemediği o eve gelin gitmiş. Dedem de insanların bakmaya kıyamadığı ama onun bir an önce def olup gitse de kurtulsam dediği kızından kurtulmuş.

Ben küçükken hatırlıyorum. Babam annemi dövmezdi. Onun yaptığına kadın dövmek denemezdi bence. Kadıncağıza adeta öldürmek için vururdu. Ancak birini öldürmek niyetindeyseniz öyle vurur, öyle tekmeler, en çok canını acıtacak yerlerini bulup öyle sıkarsınız. Annemse, korkudan büyüyen gözleriyle, "Ne olur yapma, kulun köpeğin olayım vurma" diye yalvarır dururdu. O yalvardıkça babam iyice celallenir, kıyasıya vururdu. Ben de o korkunç manzaraya öylece bakardım. Kim bilir kaç yıl baktım ben onlara...

O kadın nasıl ölmedi de yaşadı, hâlâ inanamıyorum.

Sonra ben doğmuşum, yani babamın bir kızı olmuş. Erkek adamın kızı olmaz ama ben olmuşum işte... İstenmeyen misafir yani... Ben bir aylıkken yani daha annemin kırkı çıkmadan beni annemin kucağına verir, sonra boynuna urganı bağlar, onu soğukta sokak sokak gezdirerek kadına işkence eder, bütün şehir de buna tanıklık eder, pek kimsenin sesi çıkmazmış.

Sonunda annem, istenmediğini bile bile mecburen babasının evine sığınmış. Bu sefer de babasına yalvarmış. "Kulun kölen olayım baba, beni o eve geri gönderme. Bu adam beni de kızımı da öldürecek" demiş. Dedem ne yapmış, kızını kolundan tuttuğu gibi gidip kocasına elleriyle teslim etmiş. Belki, "Eti senin, kemiği benim, gelinlikle girdiği evden ancak kefenle çıkar benim kızım" bile demiştir.

Babası kızını hemen geri getirince, babam iyice coşmuş. Annem her gün öldüresiye dayak yerken dedem bir gün bile arayıp sormamış kızını.

Ben biraz büyüyünce dedemin şöyle dediğini gayet iyi hatırlıyorum, "Kadın dediğin kocasından boşanamaz. Boşanmak haramdır." Yani babam o zamanlar annemi öldürse haram değil ama annem boşanırsa, işte o haram.

Babamın gösterdiği o ağır şiddet karşısında annemin canı öyle yanardı, kadıncağız öyle bir inlerdi ki, iniltisi görenin içini titretir, sanki o dayağı kendi yiyormuş gibi onu çok korkuturdu. "Masumlar Apartmanı"ndaki Gülben gibi benim de annemin o hallerini izledikçe, o korkutucu sesleri duydukça altımı ıslattığım çok olmuştur.

Biz küçükken babam bizi de döverdi ama annemi dövdüğü gibi değildi. Bizi sadece döverdi. Keşke hep bizi dövseydi de, biz annemin o hallerini hiç görmeseydik.

Hani insan ölürken hayatı film şeridi gibi gözünün önünden geçermiş derler ya, ben ölürken sadece o sahneleri göreceğim. Her şeyi unutsam da, onları unutmam mümkün mü?

Şimdi 21 yaşındayım, üniversite öğrencisiyim ama hâlâ babamdan dayak yemeye devam ediyorum. Umarım bu dayakları bir süre sonra evlendiğim adamdan da yemem.

Hikâyem hâlâ bitmedi.

Benden iki yıl sonra annem bir oğlan doğurmuş. Böylece babam da muradına ermiş yani oğlan babası olmuş. Birlikte büyüdüğüm kardeşim, küçük de olsa bana vurdu, kırdı, dövdü ama hiç sesimi çıkaramadım. Hatta o bana vururken annem elimi tutar, "Bırak kızım, o erkektir. Erkekler dövünce rahatlar, bırak dövsün" derdi.

Düşünebiliyor musunuz, bunu bana babamdan çok annem

derdi. Ben de o yaşımda bile, acaba bu işkenceler, dayaklardan sonra annem kafayı mı üşüttü derdim. Meğer üşütmemiş. Sadece annem değil, o yörenin bütün kadınları böyle düşünür, böyle dermiş.

Bu garip bilmeceyi bu yaşa geldim, hâlâ çözemedim. Öldüresiye dövülen sen değil miydin anneciğim? Hiç olmazsa sen bana arka çıksana... ama çıkmadı. Oğlan kardeşim bana acımasızca vururken o, kaçmamı engellemek için elimi tuttu. Yani o yaşımda bana, bir erkekten nasıl dayak yeneceğini bizzat yaşatarak öğretti.

Babam zaten kardeşim beni döverken gelip kulağımdan tutup yere çalardı beni. "Sen kızsın, kardeşinle nasıl kavga edersin" der, sonra bir de o döverdi beni. Erkek dediğin döver de söver de... "Kızlara düşen onlara itaat etmek, ona verilen emirleri yerine getirmektir" derdi. Olan ve olmayan her şeye, sorgusuz sualsiz itaat etmek zorundaydık yani...

Ay ne zordu o evlerde kız olmak.

Gelelim bizim ruhsuz evimize... Bizim evimiz, eğer babam annemi ya da beni dövmüyorsa hep çok sessizdi. Çıt çıkmazdı evde. Ölü gibiydi, mezar gibiydi bizim ev. Ruhsuzdu işte... ben de o ruhsuz evin kızıydım. Annem eğer o gün dayak yemiyorsa, babama ve bize yapması gerekenleri yaptıysa odasına girer ve saatlerce ağlardı. Annem deyince aklıma o dayak sahnelerinden sonra, odasına çekilip ağlayan, hıçkırıkları kulağımıza gelen, gözü yaşlı bir kadın gelir.

Hadi babamız babalık etmedi ama biz anne de göremedik. Bizim ne annemiz oldu, ne de babamız. O evde fazlalık olduğumuzu bilerek, kimseye görünmeden, ayak altında dolaşmadan, kimseyle konuşmadan yaşamaya çalıştık.

Bizi sevmeye, bizimle ilgilenmeye hiç vakti olmadı annemin. Bir kere beni kucağına aldığını, sevip okşadığını, bana kızım dediğini hatırlamıyorum.

Sofrada yemek yemek bile işkenceydi benim için çünkü korkudan öksüremezdik bile. Yemekte öksürürsek çok kızardı babam. Peçeteye burun silemez, asla sümküremezdik. Çünkü bizden çıkan her türlü ses babamı çok rahatsız eder ve o zaman bizi fena halde azarlardı. Yemekte öksürüğüm geldiği zaman korkudan öksüremediğim için bazen nefes alamaz, boğulacak gibi olurdum. Bari kalkıp içeri odaya gidebilsem, orada öksürebilsem, nefes alabilsem ama o da yasak. Babam sofradan kalkmadan kimse yerinden kıpırdayamazdı.

Şimdi bana huy geldi, sinema, tiyatro filan gibi kalabalık ve sessiz yerlerde öksürüğüm gelir de öksüremem ve boğulurum diye çok korkuyorum. Şimdilik oralara gidemiyorum.

Bu babamı da bir türlü anlamış değilim. Sen hayatın cilvesiyle gidip memleketin en güzel kızını almışsın. Herkesin gözü sende kalmış. Sen kendine aynada hiç bakmıyor musun? Bari biraz sevinsene, o kadının kıymetini bilsene... Ne gezer... Düşünüyorum da aşağılık duygusundan mı böyle yaptı acaba?

Evde kavga yoksa bizim ev hemen mezara dönerdi. Sadece sineklerin vızıltısını duyardık. Şimdi nerede bir sinek vızıltısı duysam, içim hop eder. Evde miyim diye korkarım. Kimseden ses soluk çıkamazdı. İnsan evde annesiyle, kardeşleriyle ıvır zıvır da olsa konuşmaz mı? Biz konuşamazdık. Babam sabahları geç saatlere kadar uyurdu. O uyurken haddimize miydi konuşmak ya da öksürmek. Böyle bir şey hiç yaşanmadığı için kalksa bize acaba ne yapardı, bilemiyorum.

İnanmayacaksınız ama ben on yaşına kadar doğru dürüst konuşamazdım. Konuşmayı hiç öğrenemedim ki... Kimse benimle konuşmadı ki... Benim varlığımdan kimsenin haberi yoktu ki... Okula giden kızların çoğu zaten benim gibiydi. Öğretmenler bu durumu yadırgamazdı. On yaşından sonra yavaş yavaş konuşmayı öğrendim. Okuduğum kitapların da bu konuda çok yardımı oldu bana.

Hiç olmazsa okula gidiyor olmak en büyük umudum olmuştu o zamanlar. Orada benim gibi ailelerin hiç görmek istemediği birkaç kız daha vardı. Biz uzaktan bile olsa, birbirimizle hiç konuşmasak da bakışarak anlaşırdık. Bu bakışlarda büyük bir hüznün yanında büyük de bir umut vardı. Okul sayesinde hiç olmazsa belli zamanlarda evlerimizden çıkabiliyor, birbirimizin varlığına tanıklık ediyor, yetişkin birinin yani bir öğretmenin bizi gördüğünü sevinçle hissediyorduk.

Ah, o zamanlar keşke o kızlarla tenhalarda bir yerlerde bir araya gelip konuşup dertleşseymişiz. Buna hepimizin öyle ihtiyacı vardı ki...

Bizim oralarda pazar günleri bazıları kırlara piknik yapmaya giderdi. Onlara nasıl özenirdim, size anlatamam. Yemeklerini bir gün önceden yapar, bütün akrabalar toplanır, çay için semaver, etleri pişirmek için mangal, oyun oynamak için de toplarını alır, kalabalık bir kafile halinde giderlerdi. Bize de arkalarından bakmak kalırdı.

Şimdi büyüdüm. Artık beni götürseler de faydası yok. Pikniğe gitmek o zaman güzeldi.

Bazen de annemin yerinde olmadığım için sevinirdim. Demek oralarda kızları kocaya sefa sürsün diye değil, dayak yesin, hayatı burnundan gelsin diye veriyorlar.

Şimdi büyük şehirde üniversiteye gidiyor, yazları yine memleketime geri dönüyorum. Yaz olacak da yine memlekete gideceğim diye ödüm kopuyor, uykularım kaçıyor ama ne fayda. Sonunda tıpış tıpış gidiyorum. Babam da her zamanki gibi beni dövmek için hiçbir fırsatı kaçırmıyor. Aman ne yapalım, döverse dövsün. Demek ki insan, zamanla dayak yemeye de alışıyor!

İki yıldır üniversite öğrencisiyim ama henüz hiç sevgilim ya da erkek arkadaşım olmadı. Yani ben hep yalnızım. Diğer kızların hepsinin bir sevdiği var. Gizli saklı da olsa onlarla buluşuyorlar. Ben onlara da imrenerek bakıyorum ama beni kimse beğenmedi.

Bütün erkekler sanki beni aşağılar gibi bakıyor; beni dışlıyorlar, aralarına almıyorlar. Sanki ben akılsız, geri zekâlı bir kızım. Bu saf diyorlar, hep hor görüyorlar beni.

Neden biliyor musunuz, onlar tok bense açım. Aç olduğumu yüzüme bakan hemen anlıyor. Sevgi açıyım ben, ilgi açıyım. Doymak bilmeyen, bitmeyen tükenmeyen, hiçbir şekilde doyurulamayan bir açlık, bu sevgi açlığı. Demek gözümden anlıyorlar ve tabanları yağlayıp kaçıyorlar. Belki de haklılar. Kendini bir hiç gören bir kızı neden beğensinler ki... Ben olsam, ben de beğenmem.

Beni de annem gibi hop diye memlekette birine vermesinler de, ben yalnızlığa da razıyım. Annem gibi kapatır kapıyı ağlarım. Hiç olmazsa döven söven olmaz.

Hep sizi takip ediyorum, yazdıklarınızı okuyorum.

Ama ben artık anladım. Kendi yalnızlığımı bir tek ben doldurabilirim. Belki okudukça okudukça zamanla bunu yapabilirim. Kim bilir...

Ama şimdilik onu da dolduramıyorum. Ama ben size bunları yazdıkça biraz ferahladım. Sanki siz karşımda oturuyorsunuz da, ben de size bunları uzun uzun, tek tek anlatıyorum. Siz beni çok dikkatli dinliyorsunuz. Benim için üzüldüğünüzü gözlerinizden anlıyorum gibi...

Hayal de olsa yine de artık siz beni biliyorsunuz. "Orda bir Öznur var, uzakta" diyorsunuz.

O da yeter.

Teşekkürler canım hocammm...

Öznur

İşte böyle yazıyor Öznur.

Evet, artık orda bir Öznur var uzakta ve ben artık onu biliyorum.

Bunları okuyup da etkilenmemek mümkün mü? Şimdi bu satırları kim bilir kaç kişi okuyacak, kaç kişinin okurken gözleri dolacak. Kimi Öznur'a üzülecek, kimi kendi geçmişine dönüp derin bir of çekecek.

Kadına yönelik şiddeti incelerken genellikle her bir kadının kendi eşinden gördüğü şiddete kayıyor gözlerimiz. Oysa kadınlarımızın çoğu şiddeti asıl doğdukları evlerde öğreniyorlar. Öznur'un annesi de, Öznur da şiddeti doğdukları evlerde öğrenmişler.

Kimse durup dururken ne katil olmak ister, ne de canından. Öyle değil mi? İşte bunların tohumları hep doğduğumuz evlerde atılıyor. Oralarda yaralanıyor, sonra da o yaraların bizi götürdüğü yerlere gidiyor ve hayata teslim oluyoruz.

Doğduğu evde şiddet görmeyen, şiddete tanıklık etmeyen insanlar kolay kolay ne katil olur, ne de kurban. Beyefendi bir babanın oğlu sizce bir kadını öldüresiye dövebilir ya da öldürebilir mi?

Çocuklarıyla çok ilgilenen, seven, bağrına basan, her zaman onların arkasında duran, onlara güven veren bir annenin kızı, ona şiddet gösterme potansiyeli olan bir erkekle beraber olur mu, kendini bunlara katlanmak zorunda hisseder mi?

Üzülerek söylüyorum ki, çoğu evlerde çocuklarımız anne ve babalarından, bazen de ağabeylerinden dayak yiyerek büyütülüyor. Hele kız çocukları, eğer fiziksel şiddet görmüyorsa bu sefer de psikolojik şiddete maruz kalıyor. Çocuklar aşağılanıyor, hor görülüyor, onlarla, olmadık adlar takılarak alay ediliyor, başkalarının yanında gururları kırılıyor.

"Ben bunların hiçbirini yapmıyorum çocuklarıma" diyorsanız, ne mutlu size! Böyle yapmayanlar, bunu çevrelerine de anlatsın. Hep birlikte çocuklarımıza sahip çıkalım.

Öznur'un ne dediğini duydunuz değil mi?

Ailesinden sonra şimdi de o kızcağız kendini aşağılıyor. O da hor görüyor kendini. Beğenmiyor. Geleceğe umutla bakamıyor. Ona biraz ilgi gösteren birinin kulu kölesi olmaya hazır.

Keşke anadilimiz şefkat olsa

Öznur'un hikâyesine devam ediyorum. Bu arada daha yukarılarda da size geçmişimizin geleceğimizi nasıl etkilediğini yazmış ve sizlere kaderle ilgili pek çok soru sormuştum. Ve demiştim ki, "İşte kaderiniz, sizlere sorduğum ve bu sorulara verdiğiniz cevaplarda gizli."

Öznur daha genç, nasıl bir kader onu bekliyor bilmiyoruz ama "Hep birlikte bazı tahminler ve çıkarımlar yapalım" diyorum. Bunu, bir çeşit kendimizin ya da çocuklarımızın geleceğini bir kâhin gibi aşağı yukarı tahmin edebilmek için yaptığımız bir egzersiz olarak da kabul edebilirsiniz.

İlk sorumuz, nasıl bir coğrafyada dünyaya geldiğinizle ilgiliydi. Öznur, Güneydoğu Anadolu bölgemizin önemli illerinden birinde dünyaya gelmiş. Ben o bölgedeki pek çok ilimizi gidip gördüm. Bazılarında imza günlerine katıldım. Her yeri ayrı güzel, her yeri tarih kokuyor bu bölgemizin. Gezmelere, bakmalara doyamıyor insan. Bir de orada yaşayan kadınlı erkekli tanıştığım pek çok insan var. Her biri nasıl misafirperver, nasıl sıcacık, anlatamam. Sizi adeta başlarının üstünde taşıyor, nasıl ağırlayacaklarını bilemiyorlar. Özellikle gençlerinin elleri kolları kitap dolu... Pek çok kitapçı dükkânı, hatta kütüphaneler var. Sanatın her türlüsüne, özellikle müziğe de çok meraklılar, kimi çalıyor, kimi söylüyor.

Dikkatimi çeken bir şey daha vardı yaptığım bu gezilerde... Belki de ülkemizin en güzel kızları, en yakışıklı erkekleri oralarda yaşıyor. Annem eskiden birini beğendiği zaman, "Allah'tan sürmeli" derdi. Gerçekten de doğuştan sürmeli hepsi. Kaşlar, gözler her birinde dikkat çekecek kadar güzeldi. Bir başka özellikleri de hemen hepsinin derin duygulara sahip olmasıydı ama bu duygular sanki en çok hüzün kokuyordu. Ve ben her birine baktıkça, gülerken bile, gözlerindeki bu derin hüznü hep hissettim.

"Peki ama sen bunu nasıl hissettin?" diye soracak olursanız, hüznü tanımayan insan nasıl hissetsin bunu... Demek ki ben de bu duyguyu çok iyi tanıyorum.

Böyle yazınca aklıma öyle bir şey geldi ki, birkaç satır da olsa Öznur'a ara verip mutlaka onu paylaşmalıyım.

Bir akşam bir dost toplantısına, yıllarca Amerika'da yaşamış biri de katılmıştı. Aramızda ünlü müzisyenlerimizden biri de vardı. Söz bizim ülkemizdeki hüzünlü, bol acılı şarkılara, türkülere geldi. Durdu durdu, sonra şöyle dedi, "Ben bu ülkede yapılan pek çok müzik türünü çok beğeniyorum ama bir kısmı bana hiç hitap etmiyor. Siz onlardan ne anlıyorsunuz, onu da bilemiyorum."

Ben hariç herkes onu soru yağmuruna tuttu ama ben anladım onu. Anadolu'nun kokusunu içine çekmeyen, başka bir ülkenin kültürüyle harmanlanmış biri ne anlasın bizim bol acılı müziğimizden. Onlar hedefe keyfi, coşkuyu, mutluluğu koymuş artık. Kapı gıcırdasa, tencere tıkırdasa, büyük kalabalıklar hep birden eller havada yapıp avazları çıktığı kadar bağırıyor ve coşuyorlar. En çok bir aradayken eğleniyor, bütün kurtlarını döküyorlar.

Düşünüyorum da, yine annemden sık duyduğum bir söz geliyor aklıma. "Onlar ununu elemiş, eleğini de duvara asmış" bir ülkenin çocukları. Dünyanın en zengin, en gelişmiş hatta dünyaya patronluk eden bir ülkesinde dünyaya gelmişler. Tek bir dertleri var, o da eğlenmek. Ama derseniz ki, "Sen de orada doğmak, orada yaşamak ister miydin?" cevabım kesinlikle, "Hayır" olurdu. Ben ülkemden de, yaşadığımız coğrafyadan da, bizim kültürümüzden de çok memnunum. Ancak keşke artık daha uygar bir ülke haline gelebilsek, birbirimize karşı sevgili olduğumuz kadar saygılı da olabilsek. Kimse bizim hakkımızı yemese, biz de kimsenin.

Yolda yürürken kaşları çatık değil, gülümseyen insanlar görsek, birbirimizle hep selamlaşsak. Bütün çocuklarımızı en iyi şekilde eğitebilsek, parası çok olanı değil, eğitimi yüksek, ülkeye faydalı insanları başımızda taşısak. Birbirimizi sürekli eleştiren, kıran döken değil hep öven, yücelten insanlar olsak.

Televizyonlarımızı açtığımızda, haberleri izlerken meclisimizden başlayarak, o gün yaşanan kavgaları, birbirlerine söyledikleri hakaret dolu, aşağılayıcı sözleri, bitmez tükenmez kazaları, vahşetleri, işlenen kadın cinayetlerini, tacizi, tecavüzü değil de, sevgiyi, barışı, ülkemizdeki insanlara dünyanın verdiği ödülleri, bilim insanlarımızın başarılarını, sanat hayatımızdan başlayarak ülkemizdeki yepyeni gelişmeleri görsek.

Bunlar da benim hayallerim işte... Ama bu hayalleri yazarken bile yüzümdeki gülümsemeyi siz göremeseniz bile ben fark ettim.

Şimdi tekrar bizim Güneydoğu Anadolu bölgemize geri dönecek olursak, ben oralarda çok güzel şeyler gördüm ama demek ki kapalı kapılar arkasında işler değişiyor. İnsanın uzaktan gördüğü ile içine doğması bir olmuyor. Teknoloji, oralarda da en üst seviyede kullanılsa da bazı alışkanlıklardan hâlâ vazgeçemiyor insanlar. Kadınlar ve çocuklar acımasızca dövülüyor, aşağılanıyor, kız çocuklarına ise fazlalık gözüyle bakılıyor.

Ancak bu kadar aşağıladıkları kız çocuklarını da okutmaktan vazgeçmiyorlar. Bunu da biraz hayret biraz da sevinçle karşıladım doğrusu.

Oradaki her evde durum böyle değil. Bundan eminim çünkü o bölgeden çok hastam oldu. Benim hastalarım bana her türlü acılarını anlatır. Bu derece vahşet her evde yaşanmıyor ama demek ki hâlâ bunu yaşayan evler var, o evlerde kadınlar, kızlı erkekli çocuklar var.

Babası annesini öldüresiye ama gerçekten öldüresiye döverken bir çocuğun neler hissedebileceğini hiç düşündünüz mü? Düşünmedinizse bile lütfen şimdi gelin hep birlikte düşünelim. Çocuksunuz, hem de kız çocuğusunuz. Yaşınız belki bir, belki iki, üç, dört, beş ya da altı. Belki biraz daha büyüksünüz. Zaten üniversiteye gidene kadar her yaşta o evdesiniz ve o sahnelere her yaşta tanık oldunuz.

Babanız arada bir sizi de dövüyor zaten yani şiddeti hem görerek, hem de bizzat yaşayarak tanıyor, öğreniyorsunuz. Şiddet iliklerinize kadar işliyor.

Benim babam ne bizi dövdü, ne de annemi. Hatta bize kötü söz bile hiç söylemedi. Her zaman rahmetle, sevgiyle, gururla anıyorum onu. Ben çocukken her evde babalar böyle zannederdim. Meğer bu, ne büyük bir şansmış!

Ben şiddeti hastalarımdan dinleye dinleye, onların yaşadığı acıları paylaşa paylaşa, televizyondaki şiddet haberlerini izleye izleye öğrendim. Kendim bunu yaşamadığım için şiddet bana çok yabancı. Belki de şiddet yaşayanları yakından tanıdıkça, onların yaşadığı acıyı, kalplerindeki kapanmaz yaraları gördükçe, o acıları hepsiyle tek tek paylaştıkça şiddete karşı kendi çapımda savaş açtım.

Şiddeti yaşayanın ya da çocukluğunda buna yakından tanıklık edenin kalbi yara alıyor.

Henüz çok çaresiz o çocuklar şiddet karşısında nasıl korkuyorlar, elleri ayakları nasıl titriyor, gözleri korkudan büyürken nasıl da saklanacak delik arıyorlar, biliyorum. Bu korku, bu çaresizlik hiç çıkmıyor içlerinden.

Düşünsenize onların hayatında şiddet çok tanıdık, çok alışıldık bir şey. Öznur bunu bize bütün açıklığıyla anlatmış. Erkek dediğin döver de, söver de... Sen işte böyle bir dünyaya geldin ve bununla yaşamayı öğreneceksin. Bak annen acıdan nasıl da inliyor ama yine de kaçmıyor. Yine aynı erkek seni sever de, koruyup kollar da. Bak, seni okula o gönderdi, o yedirdi içirdi, onun parasıyla giyindin kuşandın, sonra da seni üniversiteye yolladı. Evlenirken çeyizini de o yapacak.

Dövse de, sövse de ona itaat etmeyi bileceksin. Bazen çok korkarak, bazen acıdan ağlayıp inleyerek, bazen de bu ortamda mutlu olmayı başararak yaşamayı öğreneceksin.

Peki, kim bu adam, senin baban kim?

Belki de yaşadığınız şehirde sana şu beyin ya da şu ağanın kızı diyorlar. Belki de onun da sevenleri, sayanları var. Annen, bunca dayağa, hayatını tehlikeye atarak katlandı. Demek ki bir gün sevgilin ya da kocan da seni döverse, sen de buna katlanacaksın. Okusan da, meslek sahibi de olsan ne de olsa o senin kocan, o bir erkek. Seni hiç sevmiyor da değil hani, bazen seviyor... Üstelik çocuklarının da babası...

Hatta arada bir çocukları da dövebilir. Sen babandan dayak yerken annen nasıl sesini çıkarmıyorsa, senden küçük erkek kardeşin seni döverken annen nasıl senin elini tutup, "Dur kızım, o erkek. Erkekler kızları döverek rahatlar, bırak dövsün" diyorsa, sen de hiç fark etmeden böyle yapacaksın. Ne de olsa hepimiz alışkanlıklarımızla yaşarız. Hep gördüğümüz, hep yaptığımız şeyleri yine yaparken, "Neden böyle yapıyoruz?" diye sormak hiç aklımıza gelmez.

Alışkın olduğumuz şeyleri yerken, giyerken, hep aynı yoldan giderken, hep aynı şeylere güler, aynı şeylere ağlarken, hep aynı saatlerde yatıp kalkarken, televizyonda hep aynı programları seyrederken nasıl kendimize sormuyorsak, burada da sormayız.

O evden çıkıp başka çevrelere, başka insanların arasına

girdiğimizde bizim gibi olmayanlar çok yabancı gelir bize. Kimine hayranlık duyarız, kiminden hiç hoşlanmayız.

Kalabalık bir davete gittiğimizde şöyle bir etrafımıza bakarız; kadınsak bazı erkekler, erkeksek bazı kadınlar çekici gelir bize. Hiç tanımsak da onlara kanımız kaynar. Hatta etrafta daha yakışıklı erkekler ya da daha güzel kadınlar dururken biz onları değil, bize tanıdık gelenleri çekici buluruz. Bunun nedenini de hiç sormayız kendimize.

İsterseniz bu soruyu şimdi hep birlikte kendimize soralım: Bu seçimi nasıl yapıyoruz? Neden hepimiz kendi yaralarımızın bizi götürdüğü yerlere gidiyor, çocuklukta yaşadıklarımızı bize yeniden yaşatacak insanları gözünden tanıyor ve başkalarını değil, ısrarla onları seçiyor, onlara âşık oluyoruz.

Bunu başka somut örnekler üzerinden daha kolay tartışabiliriz. Diyelim ki yabancı bir ülkeye gittiniz. Hiç tanımadığınız bir meyve gördünüz ve tadına bakmak istediniz. Eğer o meyvenin tadı, sizin kendi ülkenizde bol bol severek yediğiniz bir meyveyi andırıyorsa, o yeni tanıştığınız meyveyi seversiniz ama hiç benzemiyorsa yüzünüzü buruşturur ve bir ısırıktan sonra yemeye devam etmezsiniz.

Geçmişte buna benzer bir şey de ben yaşamıştım. Yıllar önce İsviçre'ye gitmiştim. Oranın yemeklerinin çoğu yabancı geldi bana. En çok pizza yedim çünkü bizim ülkeden pizza yemeye alışkındım. Bir gün, bir manavın önünden geçerken orada gel beni al diye bağıran, yemyeşil fasulyeler gördüm. Hadi dedim arkadaşıma, şunları alıp evde pişirelim. Aldık ve pişirdik ama ikimiz de özenle pişirdiğimiz o yemeği yiyemedik çünkü dıştan çok güzel görünse de tadı hiç bizim fasulyelere benzemiyordu.

Bu işler de böyledir işte. Herkes alıştığını arar.

Şiddette de durum böyledir. Öznur mutluluğu da, korkuyu da, dehşeti de, aşağılanmayı da, önemsiz ve değersiz olmayı da yıllarca o evde yaşayarak öğrendi. Onun dünyası o evdi. Başka dünyalar tanımadı ki...

Yani böyle yaşamak onun anadili oldu.

Onun kendine biçtiği kimlik korkmak, aşağılanmak, değersiz olduğunu bilmek, mutluluğu da buralarda bir yerlerde aramak oldu.

Biz şimdi Öznur'u bambaşka bir ortamda yaşatsak ne hisseder, ne yapar acaba?

Önce çok hoşuna gider. Benim manavdaki fasulyeyi çok beğendiğim gibi o da bundan çok hoşlanır, öyle değil mi? Onu çok seven, ona âşık, ona çok değer veren, hakkını yemeyen, onu her yerde öven, yücelten, koruyan, kollayan, dinleyen, dertlerine ortak olan, yorulduğu zaman yardımına koşan, onu mutlu etmeye çalışan bir eş mesela...

Bu kız ne yapar? Hadi önce çok hoşuna gitti diyelim ama sonra?

Onun hiç tanımadığı bir dil bu. Kendini bu ortamda çok yabancı hissetmez mi?

"O benim kim olduğumu, nasıl aşağılık, nasıl değersiz biri olduğumu bilse beni asla sevmezdi, saymazdı" demez mi? Kendini sahtekâr gibi hissetmez mi?

"Benim gibi birini sevdiğine, değer verdiğine göre demek ki o benden de betermiş, bana göstermese de aşağılık herifin biriymiş" demez mi? "Kendi benden üstün olsa, bana böyle değer vermezdi" demez mi?

"Benimle dalga mı geçiyor, alay mı ediyor, ben ona gününü göstereyim de aklı başına gelsin" demez mi?

Ona inanır mı, güvenir mi, onun yanında kendini mutlu hissedebilir mi, yoksa yine gidip ona benzeyen birini mi bulur? Zaten kendi fark etmeden gidip öyle birine âşık olmaz mı?

Eğer terk etmez de onunla yaşamaya devam ederse, ilk fırsatta ona yapılan haksızlıkları, aşağılamaları bu sefer kendi o adama yapmaya kalkışmaz mı?

Ne de olsa kadın olduğu için adamı dövemese de –eğer erkek olsaydı, onu böylesine yücelten birini bir bahane bulur, kesin döverdi zaten– elinden geldiği kadar onu aşağılamaz mı?

Hayır, yapmaz diyenleri duyar gibiyim ama inanın yapar. Çünkü şiddet öyle yapışkan ve öyle bulaşıcı bir virüstür ki, bir kere aldınız mı ölene kadar kurtuluş yok ondan. Mümkünse o virüsü hiç almamaya, hele çocuklarınıza hiç bulaştırmamaya çalışın.

Hiç mi kurtuluş yok diyorsanız, var tabii olmaz mı? Kurtuluş şansı olmasa ben bu kadar yazıyı neden yazıyorum.

Kurtuluş, bu konuda farkındalık geliştirebilmekte...

Psikiyatristler ne yapıyor diyorsanız, bizim ülkemizde inanın en çok bununla uğraşıyoruz. Keşke bunu verdiğimiz bir hapla filan düzeltebilsek ama öyle olmuyor. Hem bunun için gelenin, hem de biz doktor ve psikologların bu virüsten kişiyi kurtarabilmek için canımız çıkıyor. Zor ve uzun oluyor bu tedaviler. Ama eğer başarır da kişiyi şiddet zincirinin boyunduruğundan kurtarabilirsek ne oluyor biliyor musunuz, sadece o kişi, onun eşi, çocukları değil, gelecek kuşağın çocuklarını da kurtarmış oluyoruz bu şiddet zincirinin vahşetinden. Artık gelecek kuşakların anadili de değişiyor.

Anadilimiz Öznur'dan başlayarak keşke şiddet değil de şefkat olabilse...

Bakın işte o zaman yukarıda sözünü ettiğim ülkemle ilgili hayallerim vardı ya, bunların sadece benim hayallerim olmadığını biliyorum. Bunlar ülkemizde yaşayan herkesin hayali.

İşte onlar bile hayal olmaktan çıkıp gerçek olur.

Fehime Hanım'ın yardımcısı

Tüm dünyada teknolojinin inanılmaz gelişimiyle birlikte bilgisayar kullanımının yaygınlaşması, her alanda olduğu gibi hastayla doktor arasındaki ilişkiyi de etkiledi. Artık hekimler bir yandan hastalarını dinlerken bir yandan da önemli noktaları bilgisayara kaydediyorlar.

Eskiden biz bunları elimizdeki kalemle hasta dosyalarına yazardık. Bu durum hastaların takibi açısından çok önemli ancak yine de kimi durumlarda hasta doktor ilişkisini bozabiliyor.

Oysa doktora büyük umut ve heyecanlarla giden biri istiyor ki, doktor onu önce can kulağıyla dinlesin. O uzun uzun anlatsın, sonra doktor onu iyice muayene etsin, sorular sorsun, o bitirince bu sefer de hasta ona merak ettiklerini sorsun, sende şu var, bunun için şöyle yap, şu ilaçları al, şu kadar zamanda geçer desin. Muayene odasından çıkarken de elinde reçetesi, içi rahat, merak ettiği her şeyi öğrenmiş olarak yanından ayrılsın. Artık onu anlayan, dinleyen, nesi olduğunu bilen, başı sıkışırsa yine ara, yine gel diyen bir doktor olsun hayatında.

Eskiden böyleydi. Ev doktorlarımız vardı. Bir ihtiyaç olduğunda elinde çantasıyla gelir, sizi uzun uzun dinler, muayene eder, sorular sorar, sizin sorduğunuz soruları cevaplar, sırtınızı okşar, size moral verir, ilaçlarınızı da yazar giderdi.

Her şeyi bilirdi o doktorlar.

Ancak şimdi işler değişti. Doktorlar bunların çoğunu yapmıyor ya da yapamıyor.

Son yıllarda okuduğum bir makaleye göre, Amerika Birleşik Devletleri'nde, ilk kez bir doktora muayeneye giden bir hastanın sözü kesilmeden konuşabildiği ortalama süre yirmi üç saniye. Londra gibi son derece gelişmiş bir kentte bile ortalama muayene süresi altı ila sekiz dakika çünkü doktor sorunun hangi organda olduğunu bir an önce anlayabilmek için pek çok tetkik isteyecek. Tetkikleri görecek ki, hastalığın ne olduğunu tam olarak anlayabilsin.

Hal böyle olunca, doktor hastayı uzun uzun dinlemeye gerek duymuyor, bunu bir zaman kaybı olarak görüyor. Tetkiklerin hastalığı nasıl olsa göstereceği düşünülüyor. Ve böylelikle hasta, üzerinde yapılması gereken tetkiklerin yazılı olduğu bir kâğıtla birlikte çabucak çıkıveriyor odadan.

Büyük hastaneler farklı dallarda uzmanlaşmış doktorlarla dolu. Kimi kalbinize, kimi midenize, gözünüze, burnunuza, kulağınıza, kimi böbreğinize bakıyor. Sizi bir bütün olarak ele alan yok. Hangi şikâyetle doktora giderseniz gidin, çoğu zaman doktor sizi başka alandaki uzmanların da görmesini, muayene etmesini istiyor.

Sizi pek çok doktor görüyor, muayene ediyor ama hiçbiri sizin asıl sahibiniz değil. Her biri bedenimizdeki farklı bir organı incelerken, sizi kimse bir bütün olarak, yaşayan ve kendine özgü bir varlık olarak ele almıyor. Bir derdiniz, sıkıntınız mı var, bu hastalık durup dururken mi geldi yoksa biraz da sorunlarınızın çok arttığı ya da yaşadığınız ağır travmatik bir olaydan sonra mı hastalandınız, bilmiyor.

Bilse ne olurdu?

Yani doktor sizi uzun uzun dinlese, bu hastalığın sizin yaşantınızla ilgili olduğunu görse, çok şey değişebilirdi. Yapılan son bilimsel araştırmalar, özellikle ölümcül olabilen hastalıkların çoğunun kronik stres durumlarında ortaya çıktığını söylüyor.

Hayatın içinde bazen başımıza olmadık şeyler gelebiliyor. Bunların en büyük örneği ani kayıplar ya da ani doğal afetlerdir. Geçmiş yıllarda büyük depremler yaşadık ve çok kayıp verdik. Yangınlar, seller... Ani gelişen bu olaylar ruhumuzda derin izler bırakabiliyor. Ancak bizi ölümcül hastalıklarla karşılaştıran durumlar bunlar değil. Kronik stres adından da anlaşılacağı gibi, hayatımızın içinde hep var olan, çoğu zaman bizim karakterimizle, kişiliğimizle, aile içi ve diğer sosyal ilişkilerimizle ilgili bir durum.

Biz çoğu zaman bu durumun farkında bile olmayız. Bizim normalimiz haline gelmiştir. Fark etmeyiz, yadırgamayız ama için için yer bizi.

Bu hastalıkların en sevdiği insanlar, kimseye hayır diyemeyen, başkalarının ihtiyaçlarını bazen de onlar istemeden üstleniveren, duygularını başkalarına hatta kendine bile ifade etmeyen, çoğu çocukluğunda kötü muamele görmüş, itilmiş, kakılmış, terk edilmiş, sevilmemiş kişilerdir.

Pek çoğumuz farkında olmadan tüm hayatımızı, başkalarından onay almak zorundaymış gibi yaşarız. Yine pek çoğumuz bizi sevmeyen, onaylamayan, beğenmeyen, övmeyen kişilerle yaşar gider ve bunu hiç sorgulamayız. Her bir imalı bakışı görsek de, imalı sözleri duysak da buna çok üzülür ama hiç böyle bir şey olmamış gibi davranır, olaya tepki vermez ve içimize atarız.

Ya da hiç istemediğimiz bir şeye hayır demek yerine, istemeye istemeye onu yapmaya zorlarız kendimizi. Küçük yaşlarda hayır demeyi öğrenemediysek, bu durum ömür boyu devam edebilir. Başkalarını hayal kırıklığına uğratmamak, onları üzmemek için kendimizi üzeriz.

Hal böyle olunca bizi hastalıklara karşı koruyan bağışıklık sisteminin kafası karışır. Çünkü o, aslında hem ruhsal hem de bedensel olarak bize kötülük yapmak isteyen düşmanlarımızla mücadele etmek, onları yok etmek için var.

Bizse onlara tepki göstermez, "Hayır" demez hatta kimi zaman dostça davranırsak sistemin kafası karışır. Dostu düşmandan ayıramaz hale gelir.

Böylelikle zaten kafasını karıştırdığımız, bizi hastalıklardan koruyan sistemler giderek zayıflar ve bu durum uzun yıllar devam ederse sonunda çöker. Yani bizim yerimize bedenimiz onlara hayır der. Bizim gösteremediğimiz tepkiyi bedenimiz gösterir. Biz hastalanınca yıllardır başkalarına adanan hayatlar artık bunu yapamaz.

Dünyada bu tür araştırmalar hızla devam ediyor. Bilim insanları hangi tür kişiliklerin bu tür ölümcül hastalıklara yol açabildiğini arayan çalışmalar yapıyorlar. Sonraki yazılarımda bu konuda sizi daha fazla aydınlatmaya ve bilgilendirmeye gayret edeceğim.

Psikiyatristler hastayı her zaman bir bütün olarak görür ve olabildiğince onu dinler ve sorunun ne olduğunu, kişinin neden hastalandığını anlamaya çalışır.

Geçmiş yıllarda biz psikiyatristler de kişilik özelliklerinin, yaşam biçimlerinin çok ciddi hastalıklara yol açtığını bilmiyorduk. Zaten eskiden tıpkı diğer hekimler gibi bilmediğimiz daha pek çok şey vardı.

Tıptaki ilerlemenin ışığında bizler de her gün yeni bir şey öğreniyoruz. Ancak bu son öğrenilen gelişme, meslek hayatımızda çok şeyi değiştirecek.

Özellikle Batılı bilim insanları psikiyatriyi geleceğin en önemli bilim dalı olarak görüyorlar. Önemli olmak ya da olmamak değil sorun. Tıbbın her dalı çok önemlidir aslında. Hepimiz bir bütüne yani insan sağlığına hizmet ederiz. Ancak kişiliğimiz ile beden sağlığımız birbirini bu kadar çok etkileyebiliyorsa, bize gerçekten de çok büyük işler düşecek demektir.

Bir de alternatif tedaviler konusu var. Amerika Birleşik Devletleri gibi dünyanın en gelişmiş ülkesinde bile nüfusun üçte birinin alternatif terapi uygulayıcılarına başvurduğu görülmüş. Bizim ülkemizde de sanırım bu talep hızla yayılıyor. İnsanlar onlara sahip çıkacak birilerini arıyor.

Burada sitemim asla meslektaşlarıma ya da diğer hekimlere değil. Özellikle ülkemizde canla başla çalışan bir hekim ordusu var. Bunu Covid-19 salgınında çok daha yakından gördük. Hekimlerimiz canları pahasına bu salgınla mücadele etti. Kimi, hastalığı ailesine de bulaştırmamak için evine bile gitmedi. Kimi hastalandı, kimi de hayatını kaybetti. Bunun ülkeyi düşmanlardan kurtarmak için savaşa gitmekten ne farkı var?

Her ikisi de vatandaşlarını kurtarmak için ölümü göze alıp cepheye gidiyor. Cephe, birinde savaş alanı, diğerinde bulaşıcı hastalıktan mustarip insanların yattığı hastaneler. İnsanlar virüs alırım diye hastanelerin önünden geçmeye korkarken, büyük bir hekim ordusu hastanelerden çıkamaz oldu.

Hekimlik bunun için kutsal bir meslek ya zaten. Ama o kutsal mesleği hayatları pahasına icra edenlerin kıymetini biliyor muyuz diye, bir kez daha sormak isterim.

Tıp ilerledikçe bir yandan hastalıklara yeni çareler üretiliyor ama bir yandan da hastalar sahipsiz kalıyor. Sevgili meslektaşlarımın hastaya ayırdıkları süre çok az da olsa, keşke onların gözlerine bakıp, kulaklarını dört açıp birkaç dakika bile olsa hastalarına ne kadar değer verdiklerini, onları nasıl dikkatle dinlediklerini hastalarımıza hissettirebilseler...

Eminim bunu zaten yapan pek çok hekim var ama bir yandan da dışarda bekleyen bir hasta ordusu olunca arada bir hepimizin kafası karışabiliyor, dikkatimiz dağılabiliyor. Bu aslında sadece bizim ülkemizin değil, dünyanın sorunu.

Bakalım dünya gelecekte bu sorunla nasıl başa çıkacak.

Şimdi gelelim Fehime Hanım'ın yardımcısına:

Yıllar önce bir gün, yaşlıca bir hanım bana gelmişti. Temiz yüzlü, yüzünden hanımefendilik akan, yaşlansa da zarafetini hiç kaybetmemiş bir kadın. Oturması kalkması, konuşması, ses tonu bile öyle saygılı ki...

Son bir yıldır, gitmediği doktor kalmamış. Arada bir gelen ve bazen sırtına, bazen de bacaklarına vuran bir ağrıdan şikâyet ediyordu. Bunun için yapılmadık tetkik kalmamış. Hatta bu arada birkaç ufak operasyon da geçirmiş.

Bu yüzden oğlu ve kızı o hastanelere yüklü miktarda para ödemek zorunda kalmışlar. Çocuklarını sıkıntıya soktuğu için de çok üzülüyordu Fehime Hanım.

Sonunda gittiği doktorlardan biri, bir kere de psikiyatristle konuşmasını önerince bana gelmiş. "Anlatın, sizi dinliyorum" dedim.

"Anlatacak bir şey yok ki" dedi.

Yalnız yaşıyormuş. Biri erkek biri kız iki çocuğu varmış. Onlar da evlenip gidince evde yalnız kalmış. Eşini zaten on beş yıl önce kaybetmiş.

Ama hastalık bir yıl önce başlamış. Demek ki ne olduysa bir yıl önce olmuş. Ne oldu acaba? Sürekli soru soruyorum. Oradan buradan, hemen her konuda soru soruyorum ama aradığım cevap bir türlü gelmiyor.

Eşiyle iyi bir evlilikleri olmuş. Biraz titiz biriymiş eşi ama zamanla ona alışmış, hastalanınca da ona çok iyi bakmış. Ölürse ben ne yaparım diye çok korkmuş ama zamanla yalnızlığa da alışmış. Çocuklarıyla da hiçbir sorunu yokmuş. İkisi de çok düşkünmüş annelerine.

Yok... Arıyorum ama onu hasta eden nedeni bir türlü bulamıyorum. Pes etmek yok, aramaya devam.

"Bana bir 24 saatinizi anlatır mısınız?" diyorum. Acaba nasıl yaşıyor, evde ne yapıyor bu kadın.

"Hiç" diyor, "eskiden bütün evin işini ben yapardım. Yalnız da olsanız ev işleri hiç bitmiyor. Eşim çok titiz olduğundan eskiden beri bir program dahilinde yapardım bu işleri. Sabah yataktan kalktığım anda ne yapacağım belliydi. Ama şimdi sağ olsun çocuklarım bir yardımcı tuttular bana. Bende yatılı kalıyor. Artık benim hiçbir şey yapmama gerek kalmadı. Her şeyi o yapıyor sağ olsun" demez mi?

Derin bir oh çekiyorum ama o ne yaptığımı, nasıl rahatladığımı fark etmiyor. Bazen bilmece çözmek gibidir bizim işimiz. Ya da dedektif gibi iz süreriz. Ta ki o izi bulana kadar. Korkarak soruyorum

"Yardımcınız ne zamandan beri sizinle Fehime Hanım?"

"Bir buçuk yıl kadar oldu."

Oh... demek öyle!

"Sessiz, sakin bir kız. Ne desem yapıyor ama ben zaten ondan bir şey istemiyorum. Ne de olsa yıllardır kendi işimi kendim yaptım. Kimseden bir şey istemedim. Aslında yardımcı da istemedim ben ama çocuklar çok ısrar edince onları kıramadım. Ev artık benim değil onun. Ben de misafirim o evde."

Bilmece bir anda çözüldü. Demek kadıncağızın alışkın olduğu hayat tarzı bir anda değişti. Ona köşede oturmak kalınca, hastalık da hemen damladı. Yıllardır o işlere akan enerji, bu sefer de hastalık olarak ona geri döndü.

İnsanın, artık bir işe yaramadığını hissetmesi, adeta ölümü çağırmak gibidir. Az ya da çok, önemli ya da önemsiz, hepimiz bir işe yaramak isteriz. Sabah yataktan kalktığımızda, o gün yaşadığımızı, hâlâ hayatta olduğumuzu bize hatırlatacak bir şeyler olsun isteriz. Hareket etmek isteriz.

"Fehime Hanım şimdi nasıl?" diye soracak olursanız, yardımcı gideli beri canlandı. Artık sabahları yataktan kalkmak için pek çok nedeni var. Evin bütün işleri, hatta çarşı pazar onu bekliyor. Kolay mı çarşıya pazara gitmek... Giyinecek, kuşanacak, belki çıkmadan duşunu alacak, saçını başını tarayacak, sonra da yıllardır onu çok iyi tanıyan esnafla ayaküstü muhabbet ederek alışverişini bitirip eve gelecek.

Evde aç oturacak hali yok ya... Canı ne isterse mutfağa girip pişirecek, ortalığı toplayacak, yorulacak.

Hele misafiri olduğu günler yorgunluktan belki her yeri ağrıyacak. Akşam çocuklar aradığında onlara tek tek anlatacak ne yaptığını, ne kadar yorulduğunu, şimdi de belinin nasıl ağrıdığını... Pazar günleri çocuklarına kendi elleriyle yemekler yapıp yedirecek...

"Ben hâlâ varım" diyecek.

Meğer ne kolaymış değil mi Fehime Hanım'ı tedavi etmek. Doktor onu biraz dinlese, anlayacak neden hastalandığını. Meğer onca ameliyatı boşuna olmuş, onca ilacı boşuna yutmuş, çocukları onca parayı boşuna harcamış.

Bir dahiliyeci, bir cerrah ne bilsin Fehime Hanım'ın yardımcısını. Onun odağında Fehime Hanım'ın ağrıları var. Tıpkı benim safra kesesindeki taştan anlamadığım gibi...

Bakalım gelecek, bize daha neler gösterecek.

Acil servis günleri

Bizim zamanımızda Hacettepe'de hangi bölümde ihtisasa başlarsanız başlayın, bir an önce doktor olabilmeniz için sizi acil rotasyonuna yollarlardı. Çok haklıydılar çünkü tıp fakültesinden yeni mezun olmuş biri hastanelerde çalışmadan, hastalarla birebir ilişki kurmadan kendini doktor gibi hissetmez.

Üstelik ben Ankara Tıp mezunuydum. Ah o günler Ah... kitapların her biri tuğla gibiydi maşallah. Oku okuyabilirsen. Aman Tanrım! Bize neler öğrettiler neler...

Bu sözleri o zaman söylerdim, "Zaten ihtisasta bilmemiz gereken her şeyi öğretecekler bize. Bunca ayrıntı, bunca teorik bilgiye ne gerek var ki?" diye söylenir dururdum. Hocalarımızın her biri gerçekten de eli öpülecek hocalardı. Ne çok emek verirlerdi bize. Şimdi aradan yıllar geçince o öğrettiklerinin hiçbirinin gereksiz ayrıntılar olmadığını, hangi ihtisası yaparsanız yapın, aslında doktorluğun bir bütün olduğunu çok daha iyi anlıyor ve her birini saygıyla anıyorum.

İşte henüz arkamdan biri, "Doktor hanım" diye seslendiğinde, hiç üstüme alınmayan ben, Hacettepe Acil'e girince doktor olduğumu anlayıvermiştim.

Acil nöbetleri tamı tamına 24 saattir. Bir gün çalışır, bir gün evde dinlenirsiniz. Tabii evinde dinlenecek zamanı olanlar içindi bu söz. Sabah sekizde girer, ertesi sabah yine sekizde uykusuzluktan, yorgunluktan sallana sallana çıkarsınız o kapıdan.

Benim gibi daha pek çok doktor çalışırdı acilde. Çoğu çömez, kimi de acilin uzman doktorları. Hepimize sırayla hasta verilirdi. O gün yeni bir yıla giriyorduk. Yani yılbaşıydı. Eşim Aydın da Ankara Tıp Acil'inde nöbetçiydi. Arada bir onunla telefonlaşıyorduk.

Saatler ilerledikçe, insanlar yılbaşı kutlamalarında kafayı buldukça, acile gelenlerin sayısı giderek artıyor, yaralanmalar, intiharlar, kazalar gırla gidiyordu. Doktorlar, hemşireler ve diğer acil çalışanlarının sabahtan beri canı çıkmıştı zaten.

Yeni yıla biz acilciler, hep birlikte içinde limonata olan kadehlerimizi kaldırarak, ortadaki pastadan birer lokma alarak girmiş, bir dakika bile sürmeyen bu kutlamanın ardından yine herkes bir yana dağılmıştı.

Bir saat kadar sonra, yani saat gece yarısı bire gelirken büyük bir gürültüyle zıpladık yerlerimizden. Kötü bir şey oluyordu ama acaba neydi? Hepimiz acilin ana giriş kapısına doğru koşarken camların teker teker, büyük bir şangırtıyla kırıldığını gördük. Acaba savaş mı çıkmıştı, acilin önünde bombalar mı patlıyordu?

Kapıların kırılan camlarından içeri siyahlar giymiş insanlar düşüyor, yumruklar havada uçuşuyor, içlerinde bir kadın avazı çıktığı kadar bağırıyordu. Üstü başı kan içindeydi kadının. Burnundan kan akmaya devam ediyor, içeri düşenlerden bir adam yumruğunu kaldırmış, hâlâ vuruyordu kadına.

Hastane polisi çoktan gelmiş, olayı yatıştırmaya çalışıyor, acilde çalışan bütün görevliler kavgacıları ayıralım derken bir yumruk da onlar yiyordu. Kadın hâlâ kavgacıların ortasındaydı, kendini bir türlü onlardan kurtaramıyordu. Sonunda kavga bittiğinde, bizim doktorların bile her biri bir yerini tutarak ayrılıyordu oradan.

Sonradan öğrendik ki, bir eğlence mekânında, sazcılarla müşteriler arasında kavga çıkmış, silahlar çekilmiş, mekânda iki kişi ölmüş, ölenlerin yakınları da yaralanan diğer ekibe saldırmak üzere hastanenin önüne yığılmış, o arada yine yaralananlar olmuştu. Bizim acil servis de bu kavgadan payını almış, ana giriş ve acilin açılıp kapanan bütün kapılarındaki camlar tuzla buz olmuş, Allahtan bizim hastaneden birkaç yumruk dışında ciddi yara alan olmamıştı. İşte o kadın da o mekânda çalışanlardan biriymiş.

Ortalık kan gölüne dönmüşken, camlar hâlâ kırılmaya devam ederken ben de donup kalmış, ne yapacağımı bilememiş, olayı uzaktan ama çok korkarak izlemiştim. Baştan beri gözüm kadındaydı zaten. Nasıl da acımasızca vuruyorlardı kadına. Pırıltılı bir şeyler vardı üzerinde ama kanla karışınca her yanı başka renk parlar olmuştu. Ortalık biraz yatışınca kadın kenarda, eli ağzında beklemeye başladı. Küçük bir sandalye bulup yavaşça otururken polislerden biri, "Otur oraya, sakın kıpırdama!" diye bağırdı. Ortalığa bir anda dağılan beyaz kepli hemşirelerden biri ise aynı anda, "Sakın oturma, her yeri berbat edeceksin!" diyordu.

Hızla gelen sedyelerin gürültüleri arasında kavgada ciddi yara alanlar içeri taşınıyor, doktorlardan her biri ayakta kalabilen yaralıları koluna girmiş içeri taşıyordu. Yerdeki cam kırıkları bile kana bulanmış, içeri dışarı her girip çıkan, kenarda duran ve otursun mu oturmasın mı, içeri mi girsin dışarı mı çıksın bilemeyen o kadına çarpıyor, sonra da o pırıltılar içindeki kadına ters ters bakıyordu.

Zavallı ne yapacağını şaşırmıştı. Tam ben de onu içeri almak üzere ona doğru yaklaşmak üzereydim ki aniden yerinden fırladı, acilin ortasına geldi, iç çamaşırını indirdi, yere çömeldi ve acil servisin ortasına, herkesin gözü önünde işedi. Bu da yetmezmiş gibi bir anda bağırmaya, hepimize küfretmeye başladı. Ama ne küfürler... Hatırı sorulmadık ne anamız kaldı, ne babamız. Küfrün bu derecesini daha önce ben de duymamıştım doğrusu. Meğer Türkçede ne küfürler varmış da, haberimiz yokmuş.

Acil servis bir anda yine karıştı. Zaten herkes gerginlikten burnundan soluyor. Kadının ettiği küfürler herkesi iyice çileden çıkardı. Bütün öfke okları, bu sefer de bir anda o kadına çevrildi. Baktım durum kötü. Kadının yediği bunca dayak yetmezmiş gibi, bu sefer bir dayak da acilde yiyecek.

İş başa düşmüştü. Kadını bir an önce oradan çekip almalıydım. Bir yandan etrafımdaki herkesi itip kakarak acilin ortasında koşuyor, bir yandan da, "Durun durun, o benim hastam!" diye bağırıyordum.

Şimdi herkes susmuş bana bakıyordu. Kadıncağızın yanına gittim ve yavaşça koluna girdim. Ben onun koluna girince herkes şöyle bir baktı, "La havle..." der gibi başını sallayarak dağıldı. Şimdi artık onu da yatıracak bir oda bulmalıydım... ama nasıl?

Acil ağzına kadar dolmuş, sedyeler, serumlar, şişe şişe kanlar, dikiş atmak için gerekli malzemeler oradan oraya taşınıyor, kimsenin gözü artık kimseyi görmüyordu. Acilde böyledir işler. Öfkeler de, sevinçler de anlıktır. Doktorların ve hemşirelerin hiçbirini devam ettirmeye vakti yoktur.

Kadınla kol kola girmiş yürüyoruz. Burnuma kötü kokular geliyor. Alkol, ter, kan, idrar, ne isterseniz var. İşin kötüsü nereye gittiğimiz de henüz belli değil. Sağa sola bakıyorum, bütün odalarda işlem yapılıyor.

Tam çıkış kapısının orada, biz doktorların, hastayla işimiz bitince dosyalara gerekli talimatları yazmak için kullandığımız küçücük bir oda vardı. Baktım boş. Doktorların dosya yazacak hali mi kalmış. Her biri can kurtarma derdinde. Kim bilir, belki de kurtarmaya çalıştıkları adam, biraz önce onlara yumruk atanlardan biridir.

Masanın hemen yanındaki sandalyeye oturttum kadını. Şöyle bir baktım. Her yanı kan içinde. "Çek elini burnundan!" dedim, çekti. Baktım burnunda kan var ama akmaya devam etmiyor. "Demek durmuş. Bu iyi işte" dedim içimden. "Ayağa kalk ve hemen soyun" dedim. Neresinde ne var, görmem gerekiyor. Dik dik baktı yüzüme ama hemen soyundu. Dikkatle inceledim her yerini. Sağ gözü biraz sonra kapanacak. Belli ki fena bir yumruk yemiş. İki kolunda ve sol bacağında morarmalar, çizikler ve yüzünde açık bir yara var. Muhtemelen bıçak yarası. "Otur şimdi, bekle beni" diyerek çıktım odadan. Bana öncelikle bir hemşire gerekiyor, bu yaraların temizlenmesi, dezenfekte edilmesi için. Yüzündeki yaraya cerrahi müdahale gerekir. Ona sonra sıra gelecek. Ama yok. Hemşireler de meşgul.

Aradım taradım derken bulabildiğim ne varsa alıp geldim yanına. Bir saat kadar uğraştım yaralarını temizleyebilmek için. İşim bitince ona bir hasta gömleği getirip giydirdim. Ben de masanın başına geçip oturdum.

Artık iki insan gibi konuşma zamanı.

"Adınız neydi?"

"Canan."

"Geçmiş olsun Canan Hanım. Ben doktor Gülseren."

Boş boş baktı yüzüme. Bense konuşmaya devam ettim.

"Tuvalete gitmek istediğinizi söyleseydiniz biz sizi götürürdük. Ama önemli değil. Arkadaşlar şimdi orayı temizlemiştir bile. Zor bir gece olmuş galiba. Her yerinize baktım. Kırık olmaması büyük şans. Yüzünüzdeki yaraya ilk fırsatta müdahale edilecek. Sizi bir süre hastanemizde misafir edeceğiz. Oda boşalır boşalmaz da sizi bir odaya alacağım. Bir ihtiyacınız olursa seslenin. Ben buralardayım."

Ben odadan çıktığımda hâlâ boş boş bakıyordu yüzüme. O gece sabaha kadar onunla uğraştım. Üç-dört gün yattı acilde. Yüzündeki yaraya gerekli cerrahi işlem yapılmış, bir ünite kan verilmiş ve sonunda taburcu olacak hale gelmişti. Ama o dönemde ne arayanı, ne de soranı olmuş, hastane işlemlerini bile kendisi yaptırmış, birkaç kez polise ifade vermek zorunda kalmıştı.

Canan Hanım orada yattığı dört gün boyunca hiç konuşmadı benimle. Oysa ben sık sık başına gidiyor, halini hatırını soruyor, ondan hiç cevap alamıyordum. Ya önüne bakıyordu ya da başını kaldırırsa pek de iyi bakmıyordu gözleri. Sadece benimle değil, hemşirelerle ve diğer doktorlarla da konuşmuyordu. Küsmüştü bize.

Bazen gözlerinde yaş görüyordum. Hemşirelerin bazıları, "Bir teşekkür bile etmiyor, ne çok uğraştık bu kadınla... Arayanı soranı yok diye giysi bile getirdik. Bunlar nankör olur" derken bazıları, "O gün yaptığından utandı besbelli. Baksanıza, başını kaldırıp yüzümüze bakamıyor" diyordu.

Hepsi de benden daha tecrübeliydi. Benim hastalara gösterdiğim ilgiyi ve şefkati acemiliğime veriyorlardı. Haklıydılar, gerçekten henüz acemiydim.

Taburcu olacağı gün Canan Hanım işlemlerini bitirince yanıma geldi ve hiç beklemediğim halde benimle konuşmaya başladı:

"Sen benim ne olduğumu, kim olduğumu biliyor musun?"

"Yoo, bilmiyorum."

"Ben, adi bir orospuyum. Anladın mı şimdi? Bir daha bizim gibilere böyle yapma. Bak bana, iyi bak... İnsan yerine konmaya tam alışıyordum ki, beni taburcu ettiniz. Siz benim yaralarımı kanattınız. Demek bir zamanlar ben de bu hayatta iyi bir şey yapmışım ki, Allah karşıma sizi çıkardı."

Sadece doktorluğun değil, hayatın da acemisiyim henüz. Galiba o zaman o kadının bana ne demek istediğini yeterince anlayamadım. Biz onun yaralarını sardık, o bana yaralarımı kanattınız demişti. Ama hem böyle demiş, hem de elinde çıkını, boynuma sıkı sıkı sarılıp, "Allah razı olsun senden" diyerek, hiç arkasına bakmadan çıkıp gitmişti acilden.

Arkasından bakakalmıştım Canan Hanım'ın. Eğer hâlâ hayattaysa kulakları çınlasın.

Şimdi aradan yıllar geçti. Ben tecrübeli bir psikiyatrist oldum. Şimdi onu daha iyi anlıyor ve bana öğrettiklerini hiç unutmuyorum. Şimdi artık biliyorum ki, sadece virüsler değil, her şey bulaşıcı. Şiddet, kötülüğün her çeşidi ne kadar bulaşıcıysa, iyilik de, sevgi, şefkat de bulaşıcı.

Canan Hanım madem bizim ona gösterdiğimiz ilgiden, şefkatten bu kadar etkilendi, eminim ki o günden sonra bir daha eski Canan olamadı. Hayata duyduğu öfke birazcık da olsa azaldı.

Yüzündeki yaranın mutlaka küçük de olsa izi kalmıştır. O iz, ona ne kötü şeyler hatırlatacakken belki biraz da bizi hatırlatır.

Ne demişti, "Demek ki bir zamanlar ben de bu hayatta iyi bir şey yapmışım ki, Allah karşıma sizi çıkardı."

"Yaptığı iyi şeyleri hatırlayan insanı kötü yapmak zordur" derler. Hatta, "Kötüler arasında iyi olmak kadar, iyiler arasında kötü olmak da zordur" derler.

Diyenler doğru demiş.

Eğer büyük bir hastanenin acil servisinde doktorluk yapıyorsanız, her şeye hazırlıklı olacaksınız. Çelikten bir zırh giydireceksiniz yüreğinize ki, sedyede gelinliğiyle yatan gelinin kandan kıpkırmızı olmuş duvağını kaldırabilesiniz.

Duvağın üzerindeki parlak simler kanla karışıp sizin elinize yapışınca, gözünüzün dolduğunu kimse görmesin diye, elinizden kolay çıkmayan o simleri saatlerce sabunlu sularla yıkayabilmelisiniz.

Damat beyin yakasından yere düşen kırmızı kurdele takılmış çeyrek altınını yerden alırken onun feryatlarını bir gün unutabilmenin bir yolunu bulabilmelisiniz.

Okula başlama serüveni ve öğretmeni sevmek

Bir zamanlar hepimiz çocuktuk. Çocukluğumuz zihnimizin en değerli, en unutulmaz hazinesidir. Yaşlansak da, hatta Alzheimer gibi hafızamızı silen hastalıklardan birine de yakalansak, her şeyi unutsak da, çocukluk anılarımız hep taze kalır.

Okulların açılacağını duyunca benim de aklım o günlere gider, ilkokula başladığım günlere.

Açık kumral, hatta biraz kızıla çalan saçlarımı annem sabah erkenden iki taraftan sıkıca örmüş, uçlarına beyaz kurdeleler bağlamıştı. Siyah önlüğüm, beyaz yakam ve rugan ayakkabılarımı çoktan giymiş, bir hafta önceden hazırladığım çantamı sırtıma takmış, heyecanla babama bakıyordum. O hâlâ hazır değildi. Babam işte... kırk kere kravatına şekil vermeden, şapkası başına iyi oturmuş mu diye aynada bakıp onu iyice düzeltmeden çıkmaz ki evden.

Kahvaltı sofrasındaki çayı hâlâ yarım. Son bir yudum daha içip onu yine de yarım bırakarak elini uzatmıştı. "Hadi kızım, gidiyoruz..."

Babaannem son bir kez daha yüzüme okuyup üflemiş, annem sırtımdaki çantayı ve kurdelelerimi düzeltmiş, hayır dualarıyla çıkmıştık evden.

Babam, eli elimde, başı dik yürürken benim içimden hep hoplayıp zıplamak geliyordu. Arada bir de bunu yapıyordum

zaten. Babam her seferinden avucunda tuttuğu elimi hafif-
çe sıkarak, "Böyle yapma" diyordu bana. Acaba okullu olunca
hoplayıp zıplamak yasak mıydı?

Okula vardığımızda bahçe boştu. Herkes girmişti sınıflarına. Koridorda iki öğretmen konuşarak bize doğru geliyordu.
Gözlerim onlardan birine takılmış hatta orada sabitlenmişti.
O da bana bakıyordu. Ama ne tatlı bakıyordu bu kadın!

Tam beş yılı Muzaffer öğretmenle beraber yaşayacak, ondan çok şey öğrenecektim ama henüz bunları bilmiyordum.

İlkokul öğretmenlerimiz, kaderimizin oluşmasında anne
babalarımızdan sonra gelen, bizi hem bizimle, hem de hayatla tanıştıran kişilerdir. Eğer sizi seven, size değer veren, sık
sık "Aferin" diyerek başınızı okşayan, arkadaşlarınızın önünde sizi aşağılamayan hatta gururlandıran, ailelerinize sizi
öven bir öğretmenle başladıysanız hayata, sırtınız kolay kolay yere gelmez.

Aslında okula başlamak çocukluğumuzda yaşadığımız en
büyük travmaymış galiba. Düşünsenize, o güne kadar anneniz babanız hep yanınızda olmuş, sizin tek bir dünyanız var,
o da anneniz, babanız, kardeşleriniz belki birkaç da komşu
ya da akraba çocuğu. İlk kez kendinizi güvende hissettiğiniz
evinizden, oyuncaklarınızdan, televizyonda ya da akıllı telefonlarda izlediğiniz çizgi filmlerden ayrılıp bambaşka bir
dünyaya götürüp bırakıyorlar sizi. O günlerdeki heyecanımı,
şimdi daha iyi anlıyorum.

Eskiden yani biz çocukken evde ne televizyon vardı ne de
akıllı telefon. Oynadığımız oyuncaklar bile çok basitti ama o
zamanlar evdeki büyükler bize bol bol masal anlatırdı.

Şimdilerde çocuklara masal anlatan da yok. Buna gerek
de kalmadı diye düşünüyor anne babalar. Akşama kadar zaten bol bol izlediklerini söylüyorlar.

Ne kadar yanılıyorlar...

Onların çok şanslı olduğunu düşünenler var ama ben öyle

düşünmeyenlerdenim. Asıl şanslı olan bizim kuşakmış. Dedeler, nineler olurdu çoğu evde. Benim dedem olmadı ama bize masal anlatan bir babaannem vardı. O masallarda devler, cüceler, peri kızları, cadılar, uzaklar ama çok uzaklardaki köyler, kasabalar, köşkler, saraylar; oralarda yaşayan prensler, prensesler, Keloğlanlar, ormanda anneannesine yemek götüren Kırmızı Başlıklı Kızlar vardı.

Babaannemize giderek daha fazla sokularak, adeta nefesimizi tutarak, gözlerimizi kapatıp anlatılanları hayal ederek dinlerdik o masalları.

Masalları anlatmanın bile bir zamanı vardı. Ortalık sessizken, mırıl mırıl bir sesle, kuytu bir yerde, iç içe, kucak kucağa anlatılırdı masallar. Şimdiki çocuklar gibi onları birebir izleyemediğimiz için her şey bizim zihnimizde şekillenir, can bulurdu.

Annem gelip her birimizi yatırıp yorganlarımızı örttüğünde, biz o masalların içinde kaybolurken dalardık uykuya.

O masal her birimizin zihninde farklı bir şekle bürünür, burnumuza ormanların, ormandaki ağaçların, çiçeklerin kokusu; kulaklarımıza, böceklerin sesi gelirdi. Prensleri, prensesleri, Keloğlanları, cadıları zihnimizde biz giydirir, sarayları, küçücük kulübeleri hayalimizde biz döşerdik.

Aynı masalı kırk kere dinlesek sıkılmaz, ilk kez dinliyor gibi cevabını bildiğimiz pek çok soru sorardık babaanneme. O anı tekrar tekrar yaşamak isterdi zihnimiz.

Masallarda da kahramanlar hep keyif yapmaz, sürekli mutlu olmazlar. Mutluluğu yakalayabilmek için çoğu zaman acı çekmeleri, çok çalışmaları, hayatla kıyasıya mücadele etmeleri gerekir.

Büyü, masalın sadece sonunda, onlar murada erip kerevete çıkınca değil, masalın en başında başlar. Bizler, prensesler acı içinde kıvranırken bile hissederiz o büyüyü. İçimizden prensesin yerinde olmak geçer. Amacımız acı çekmek değildir, masalın içindeki büyüye kaptırırız kendimizi. Ninenin sesinden ve bedeninden yayılan sıcaklık, bize kendimizi güvende hissettirir. Gerçek olmadığını bilsek de, masalların içimize, ruhumuzun derinliklerine aktığını hiç fark etmeyiz.

O masalları ne uzaylılar uydurmuştur ne de bizden olmayan bambaşka varlıklar. Binlerce yıl öteden gelen insan zihninin ürünleridir onlar. İnsan denen o kutsal varlığın istekleri, arzuları, hayalleri, korkuları, endişeleri, kuruntuları, kırılmışlıkları, acıları, sevinçleri, yaşamak isteyip de yaşayamadıklarıdır onlar.

Binlerce yıl öncenin sesidir masallar.

Henüz hayatla tanışmamış ruhumuzu hayata hazırlarlar. Yenilmekten, acı çekmekten, kandırılmaktan, utanmaktan, tökezleyip düşmekten korkmamayı öğretir bize. Her gecenin bir sabahı, her gayretin bir müjdesi olduğunu ağır ağır yazar küçücük kafalarımıza. Umut doldurur içimizi.

Sevgili öğretmenlerimiz bir şeyi iyi bilmeliler: İster ilkokul, ister orta ya da üniversite hocası olun, bilin ki sizin gözlerinizin içine bakan her öğrenci korka korka da olsa, oralarda bir şeyler arıyor. Ona nasıl baktığınız bile öyle önemli ki... O çocukların gelecek yaşantılarında başrol oyuncularından biri de sizsiniz.

Sizin onlara verdiğiniz güven, gösterdiğiniz saygı, onlarla konuşurken kullandığınız ses tonu, yüzünüzdeki hafif de olsa bir gülümseme, onayladığınızı, güvendiğinizi belirten küçücük bir mimik, onlara verdiğiniz umut...

Hatta sizin kendinize gösterdiğiniz özen, giyiminiz kuşamınız, saçınız başınız, kendinize duyduğunuz güven, hayata pozitif yaklaştığınızı gösteren her şey ama her şey...

O kadar önemli ki...

Öğrencilerinizin rol modelisiniz. Siz onları, onlar sizi beğendikçe, hayranlık duydukça, zamanla sizi örnek alacak, sizin gibi olmaya çalışacaklar.

Bir okul çok donanımlı olabilir; kütüphaneler, laboratuvarlar, konferans salonları, her türlü etkinliğin yapılabileceği imkânlar... Ancak o okulun öğretmenleri eğer bu işi hakkıyla yapmıyorsa, o okuldan başarılı, umut vaat eden öğrenciler mezun edemezsiniz.

Çocukların hayatta başarılı ya da başarısız olmasının en önemli etkenlerinden biri, önce doğduğu ev, sonra da öğretmenleridir.

Başarılı olabilmek için o çocuğun kendinden umudu olmalıdır. Nice öğrenci gördüm, "Bu yıl, bu sınavları mutlaka kazanmam gerekiyor" diyen. Zaten bu sözü duyduğum anda içime koyu bir hüzün çökerdi. Kim bilir bu sınava kaçıncı kez giriyor ve her girişinde böyle dedi kendine. Hepsinde kendince çok çalıştı ama bunca emeğe rağmen aldığı puan hiç artmadı.

"Kazanmam gerekiyor" cümlesi bana hep, "Bunu isteyen kendisi değil, o sadece gerekenleri, ondan beklenenleri yapacak" diye düşündürür. Yani hiç sevmediği, istemediği ama mecbur kaldığı bir görevi, anne babasının hatırına yerine getirecek. Üstelik kazanacağından hiç umudu yok ve o nedenle bundan çok korkuyor.

Bu tür öğrencilere benim cevabım hep şöyle olurdu:

"Sen elinden geleni yap. Çok zorlama kendini. Hayattan vazgeçme. Yine kendine zaman ayır. Arkadaşlarınla buluş, konuş, gül yani yaşamaya, hayatı sevmeye devam et. O masaya oturduğun zaman çalışıyormuş gibi yapma. Ya gerçekten çalışmayı, yeni şeyler öğrenmeyi istiyorsan otur ya da hiç oturma. Kendini kandırma.

Bunu neden ve ne kadar istiyorum? Ben nasıl biriyim? Artılarım, eksilerim nelerdir, diye sor kendine. Kaç yıldır aynı programı uyguluyor, çalıştığını sanıyor, buna çok vakit ayırıyor ve kazanamıyorsun? Demek ki bu problemi çözmek için yanlış formül uyguluyorsun. Bu işin başka bir formülü olmalı. Ara ve bul onu.

Ne yapıyorsan kendin için yap ya da yapma. Hayat her zaman önümüze çok farklı seçenekler sunar. Bu sınavı kazanmak ya da kazanamamak senin başarılı ya da başarısız olacağını göstermez. Kazanamazsam anneme babama ne derim, diye sormaktan vazgeç. Bu senin hayatın... Ben ne istiyorum? Kendimden umudum var mı? Varsa neden var, yoksa neden yok? Asıl bunların cevabını bul."

Sadece biz psikiyatristler değil, aileler de çocuklarıyla bu konuyu konuşmadan önce uzun uzun düşünse keşke. Çocuklarına nasihat etmeden, bazen de tehditler savurmadan önce anne baba kendi aralarında bu konuyu konuşsa, tartışsa... Çocuklarını ne kadar tanıyorlar, onu bulmaya çalışsa...

Aslında biz insanlar ne kendimizi tanırız ne de en yakınlarımızı. Yabancıları tanımak daha kolaydır çünkü onlara daha tarafsız bir gözle bakabiliriz. Biz psikiyatristlerin elindeki en önemli sihirli değnek de bize gelenleri tanımıyor olmamızdır. Yakınlarımıza bakarken beklentilerimiz, arzu ve isteklerimiz, korkularımız ve sitemlerimiz o bakışa eşlik eder.

Bizler çocukken okul olmasa da sokağa çıkar, kendimize arkadaş bulur, oyunlar oynar, yaşıtlarımızı tanımaya, onlarla ilişki kurmaya çalışırdık. Özellikle milenyumdan sonra yani 2000'li yıllardan itibaren çocukların yaşam şekilleri çok değişti. Evde, dört duvar arasında, bilgisayar, televizyon ya da akıllı telefon ekranlarını izleyerek büyüdüler. Hayatı ekranlardan öğrenmeye çalıştılar. Çocukların pek çoğunda bunlara bağımlılık gelişti. Neredeyse hayatı unuttular.

Böyle yaşayan, hayatı bir oyun zanneden çocuklardan gelecekte ne bekleyebiliriz ki... Kendilerine nasıl bir hayat kuracaklar, nasıl sorumluluk alacak, hayatla mücadele etmeyi nerede ve ne zaman öğrenecekler? Uzaktan eğitimde öğrendikleri teorik bilgiler, evden çıkmadan nasıl hayata geçecek?

Onlar için hayat evde dört dörtlük bakım, elinde tüm dünyayı önüne seriveren bilgisayarlardan ibaret. Daha da önemlisi bilgisayarlar, o çocukların hayatlarının tek anlamı haline geldi. Oradaki oyunlarda kazanmayı başarı olarak görüyorlar. Sanal bir yaşamı zihinlerinde normalize ettiler. Geleceğimizi, böyle gençlere emanet etmek ürkütüyor insanı.

Hayata böyle başlayan minicik çocuklar için kreşler, anaokulları ve ilkokul onların hayatla birebir ilişki kurabilecekleri tek alan haline geldi.

Oysa bir çocuk hayatla ne kadar erken tanışır, o evden ne kadar erken çıkabilirse, hayata uyumu, başkalarında kendini görmesi, yaşıtlarıyla ilişki kurabildiğini, sevilebildiğini, kabul gördüğünü fark etmesi, onun ruhsal gelişimi açısından çok önemlidir.

Virüs ne kadar tehlikeliyse, sosyal izolasyon da insanlar, hele ki çocuklar için o kadar tehlikelidir. Cezaevlerinin en önemli özelliği insanları toplumdan izole etmek, bir yere kapatmak değil midir?

Yine salgın sürecinde, psikiyatri merkezlerine yetişkinlerden çok çocuklar için başvuru yapıldı. Uzun süre evlerden çıkamayan çocuklarda kaygı bozuklukları, her çeşit yeme bozukluğu eskiye göre belirgin bir artış gösterdi.

Aile ilişkilerinde de sorunlar yaşandı. Sürekli beraber ve iç içe yaşamak kişiler arasındaki saygıyı çok zedeledi. Herkes birbiriyle yüz göz oldu. Anne babaların hayatla ilgili kaygı ve umutsuzluklarını, o evde yaşayan çocuklar sünger gibi emdi. Evin düzeni bozuldu. Yaşam alışkanlıkları değişti ve çocuklar disiplini hepten unuttu. Oysa disiplin, gelecekte onların hayata uyum gösterebilmeleri ve başarılı olabilmeleri için öyle önemli ki...

Eskiden çocuklar, "Kar yağsa da, okullar tatil olsa" diye sızlanırken şimdilerde, "Okul açılsa da, şu evden kurtulsak" der oldular çünkü tatilin bile tadı, uzun bir çalışma döneminden sonra çıkıyor.

Çocuklarımız bizim en kıymetli varlığımız, geleceğimiz, en güzel umutlarımızdır. Onları bir an önce her türlü önlemi alıp okullara, arkadaşlarının arasına, eğitim yuvalarına, mesleğine âşık öğretmenlerimizin gözlerinin içine bakarak ders dinleyecekleri sınıflarına uğurlayalım.

Biz anne babalara da "Oh be, çok şükür okullar açıldı da çocuklardan kurtulduk" deyip, akşama doğru, "Nerede kaldı bu çocuk?" diyerek dört gözle camlarda beklemek kalsın.

Salih

Anne baba olmak ne zor değil mi? Çocuklarımız bizim gözbebeğimiz. İstiyoruz ki onlar hayatın her alanında başarılı olsun; çok sevilsin, sayılsın, geçmişte bizim yapmak isteyip de yapamadıklarımızı yapsın, onlarla hep gurur duyalım.

Kimse onların kılına zarar vermesin çünkü onlar henüz genç ve hayatı tanımıyorlar. Öyle herkesle de arkadaşlık etmesinler. Arkadaşın kötüsü bizim çocuğumuzu da yoldan çıkarır. Nereye gideceklerine, ne yapacaklarına, hatta ne giyeceklerine bile biz karar verelim. Soğukta üşütmesinler, öyle saçma sapan kıyafetlerle sokağa çıkmasınlar, gece dışarı çıkmak zaten yanlış. Zamanında yatıp zamanında kalksınlar, derslerini hiç ihmal etmesinler.

Hele ki sınav zamanı odalarından bile çıkmasın, masadan hiç kalkmasınlar. O ellerindeki telefonu da almak lazım. Ders çalışıyorum bahanesiyle odada hep telefonla oynuyorlar. Saatlerce bu telefonla ne yapılır Allah aşkına!

Ben de bu satırları bir anne olarak yazıyorum. Bu yazdıklarımın hepsi benim de kafamı zamanında çok meşgul etmişti. Ancak bu meslekte eskidikçe gördüm ki, bizim bu endişelerimiz bazen çocuklarımıza, gençlerimize çok zarar verebiliyor.

Aslında anne baba olmak zor zanaat... Çocukları tepenize çıkarıp her dediğini yapsanız, yemeyip yedirseniz, giymeyip giydirseniz bir türlü, çocuklara ağır bir disiplin uygulayıp her şeye siz karar verseniz başka türlü.

Ancak her şeye rağmen ülkemizde anne babalar olarak biz, imkânlarımız elverdiğince çocuklarımızı en iyi okullarda okutup, gerekirse özel öğretmenler tutup, onlara harika bir gelecek hazırlamaya çalışıyoruz. Onlardan hiçbir şeyi esirgemiyor, yemiyor yediriyor, giymiyor giydiriyoruz. Anneler babalar yeter ki çocukları okusun diye kendi hayatlarından kısıp gerçekten onlar için büyük fedakârlıklar yapıyor.

Hal böyle olunca doğal olarak çocuklarımızdan beklentilerimiz de artıyor. İstiyoruz ki, madem biz bunca fedakârlığa katlanıyoruz, onlar da başını dersten kaldırmasın, gezmesin, tozmasın, televizyon bile seyretmesin, telefonda boş yere vakit kaybetmesin, arkadaşlarıyla buluşup hem boşa para harcamasın hem de haytalık etmesinler. Her dediğimizi yapsınlar ki, onlar adına kurduğumuz hayallere onlarla birlikte biz de kavuşabilelim.

Biz ne yapıyorsak çocuklarımız için yapıyoruz zaten ama acaba gerçekten doğru mu yapıyoruz?

Yıllar önce genç bir hastam vardı. Liseyi birincilikle bitirmiş, üniversite sınavlarına hazırlanıyordu. Ailesi çok memnundu ondan. Bugüne kadar onları hiç üzmemiş, okulda her yıl onur listelerine girmiş, tüm okullarını hep birincilikle bitirmişti. Hem okulda hem de evde çok uyumlu bir çocuktu. Bütün öğretmenler onu sever, aileye onunla ilgili hep güzel şeyler söylerdi. Çocuk eve gelince de üstünü başını çıkarır, yemeğini yer, sonra da odasına kapanıp ders çalışırdı. Hatta her gün okula giderken ona verdikleri harçlıkları bile harcamaz, odasındaki kumbara hep dolu olurdu. Oğullarının gelecekte çok büyük adam olacağından emindi aile.

Ancak her şey bu kadar iyi giderken tam da liseyi birincilikle bitirdiği yıl illa beni bir psikiyatriste götürün diye tutturmuştu oğlan. Nesi vardı bu çocuğun? Eğer onların oğlu böyle diyorsa, diğer çocuklar ne yapsındı? Asıl o çocukların, o haylaz çocukların ihtiyacı vardı psikiyatriste.

Sonunda çocuğun ısrarlarına dayanamayıp onu bana getirdiler. Uzun boylu, oldukça yakışıklı bir delikanlıydı Salih. Yakında üniversite sınavlarına girecekti ve bu sınav onu çok korkutuyordu. Zaten son aylarda hiç odasından çıkmıyor, sürekli bu sınava çalışıyor, test çözüyordu. Yemeğini bile annesi odasına getiriyor, geç saatlere kadar çalışıp sabahın köründe kalkıp yine oturuyordu dersin başına.

İlk girdiği sınavda Türkiye ikincisi oldu. Gerçekten büyük bir başarıydı bu. Aile haberi alınca sevinçten havalara uçmuş, eş dost, akrabadan tebrikler yağmıştı. Okul yönetimi bile onunla gurur duymuş, okul binasına, "Türkiye ikincisi bizim okuldan çıktı" filan gibi bir şeyler yazıp üzerinde Salih'in resmi olan koca bir pankart asmıştı.

Ama Salih bu durumdan hiç hoşnut değildi. Gazeteciler röportaj yapmak için onun peşine düşmüş, o ise kaçacak delik arıyor, resminin asılı olduğu okulun önünden geçmeye ödü kopuyordu. Salih herkesin onunla ilgilenmesinden, ona sorular sormasından rahatsızdı. Zaten oldum olası insanlarla ilişki kurmayı, onlarla gülmeyi, eğlenmeyi, gevezelik etmeyi hem hiç sevmez, hem de zaten beceremezdi.

Şimdi yepyeni bir okula başlayacak, hiç tanımadığı insanların arasına girecekti. Okula dereceyle girdiği için hocalar onunla daha çok ilgilenecek, diğer çocuklar ise belki de buna biraz sinir olacaktı. Onunla "ot" diyerek alay bile edebilirlerdi.

Korkarak da olsa okula kaydını yaptırdı ve başladı. Ama bunu devam ettiremedi. Birkaç ay içinde o üniversitede okumaktan vazgeçti. "Aradığımı orada bulamadım, seneye sınavlara tekrar girerim" diyerek okulu bıraktı ve yine eve kapandı.

Yeni bir sınav maratonu daha başladı. Oysa o sınava hazırdı zaten. Yeni sınava kadar hemen hiç çıkmadı evden, kalkmadı o masadan. Yemekleri bile yine odasına geldi. Televizyon izlemedi, arkadaşlarıyla buluşmadı, zaten buluşacak arkadaşı da yoktu.

İkinci kez üniversite sınavına girdiğinde bu sefer ilk yedi soruyu okumadı bile, boş bıraktı çünkü bir kere daha dereceye girmek, gazetecilerin sorularını cevaplamak, okulunun duvarlarında kendi resmini görmek istemiyordu. Sınav sonuçları açıklandığında istediği üniversitenin, istediği bölümüne yine çok yüksek puanla girmeyi başarmıştı. Artık bu sefer orada okuyacak ve hayallerine kavuşacaktı.

Onunla o sıralar daha sık görüşüyorduk. Bu gidişle hiçbir yerde aradığını bulamayacağını anlamıştım. Onun aradığı şey o okullarda değil, kendindeydi. Henüz insanlarla sosyal ilişkiler kurmayı, yaşıtlarıyla birlikte gezmeyi, tozmayı, muhabbet etmeyi, sinemalara, kafelere gitmeyi, kızlara bakmayı, onlarla arkadaşlık etmeyi hiç dememeişi, hiç öğrenmemişti. Odasına kapanıp ders çalışmak dışında bir hayatı hiç olmamıştı Salih'in. İçinde yaşadığı dünyayı henüz hiç tanımıyordu.

Gerçekten de tahmin ettiğim gibi oldu ve hevesle başladığı okuldan birkaç ay içinde yine vazgeçti. Ne okulu beğendi, ne de hocaları.

Hiçbirinin dünyadan haberi yoktu. Hayal ettiği yere onu bu okul asla getiremezdi.

Yok edilmiş, aşağılanmış, ezilmiş ruhunun devasız yaralarını başarılarla sarabilmek, acısını biraz hafifletebilmek, mutluluk, iç huzuru, yaşama sevinci gibi, hiç tatmadığı duyguları yakalayabilmek...

Ancak bunları yanlış yerlerde arıyordu. Başarı, sonsuza doğru akan bir nehir gibidir. Hiç kimse o nehrin sonuna ulaşamaz ve ulaşamadıkça da kendini başarılı görüp bunun tadını çıkaramaz.

Onunla konuşurken bir meslektaşımla konuşuyor gibi hissederdim kendimi. Çünkü her şey gibi psikiyatriyi de çok iyi biliyordu. Ayaklı kütüphane gibiydi. Sadece ders kitaplarıyla yetinmemiş, sanat, kültür, edebiyat ve bilim dünyasını o konuların uzmanıymış gibi anlamış ve öğrenmişti.

Ona kalsa dünyada öğrenilecek daha pek çok şey vardı.

Bu kadar çok okuyan, bu kadar çok bilen, çok çalışan bir genç başka ne yapar ki... Başka bir şey yapmaya fırsat kalmaz ki...

Hem çok biliyor, bu kadar bilmek kendi iç dünyasında onu yüceltirken başkalarını aşağılıyor, bir yandan da bütün bu bilgi hazinesine rağmen hayata bir türlü uyum sağlayamamak, herkes gibi olamamak onu için için yiyor, bu sefer de öfke okları kendine yöneliyordu.

Bu büyük zekâ ve yetenek hayata akamazsa ne yapar?

Dönüp kendini imha eder.

Babası memur, annesi ev hanımıydı. Ancak ailede yıllardır kavga gürültü hiç bitmiyordu. O ailede kimse kimseye fiziksel şiddet uygulamıyordu ancak aralarında olumlu bir iletişim de yoktu. Herkes birbirini aşağılıyor, kızıyor, bağırıp çağırıyordu ve Salih'e verilen mesaj hep, "Başarıların kadar varsın!" oluyordu.

Anne babanın yüzünü sadece okuldan gelen onur belgeleri güldürebiliyor, bunun dışında odasından hiç çıkmayan Salih'in varlığının kimse farkında olmuyordu. Aile çocuklarını okutmak için ellerinden geleni yapsa da, bir akşam bile sofrada ağız tadıyla yemek yiyemiyorlardı.

O evde sadece Salih değil, herkes mutsuzdu. Hem anne hem de babanın bütün ümidi evin büyük oğlu Salih'ti. O diğerlerinden daha akıllıydı. Bir gün okuyup büyük adam olacak, böylece o karanlık ev aydınlanacaktı.

Lise bitene kadar bu düzen hep böyle devam etmişti. Onlar çocukları için pek çok fedakârlığa katlanmış, oğulları da odasından hiç çıkmadan çalışmış, onları hep gururlandırmıştı. Üniversite giriş sınavlarında Türkiye çapında başarılı olması ise aileyi sevince boğmuştu. Demek ki yapılan fedakârlıklar boşa gitmemişti.

Ancak aldığı bunca yüksek puana rağmen Salih odalara kapanıp o masadan hiç kalkmayınca şaşırıp kalmışlardı.

Artık kliniğe sadece Salih değil anne babası da sık sık gelip duydukları endişeyi anlatıyorlardı. Aradan yıllar geçip de çocuk hâlâ odasından çıkmayınca durumun vahametini anlamışlardı. Vazgeçmişlerdi her şeyden, birbirleriyle kavga etmeyi bile unutmuşlardı. Ne olmuştu bu oğlana, neden herkes gibi okula gitmiyordu bu çocuk? Hem anne hem de baba artık eskisinden çok farklı düşünüyordu. Akşamları hep birlikte sofraya oturmak, oğullarıyla konuşmak, sohbet etmek, arada hep birlikte bir yerlere gitmek istiyorlardı ama Salih bunların hepsini reddediyordu.

"Bizimle olmasa bile bari arkadaşlarıyla buluşsa, gezse tozsa, onlarla yemek yese, sinemaya gitse hatta eve geç gelse, biz hepsine razıyız ama onun bir tane arkadaşı bile yok, bu yaşa gelmiş bir gencin hiç mi arkadaşı olmaz doktor hanım?" diye soruyorlardı bana.

Bu soruyu sormakta biraz değil, epeyce geç kalmışlardı. Hiç tanımadığı bu hayat Salih'i çok korkutuyordu. "Herkesin kolayca yaptığını ben yapamam ki... Aralarında ne konuştuklarını bile bilmiyorum. Benim gibi birini aralarına almazlar ki... Kendimi uzaylı gibi hissediyorum. Eğer onlar insansa ben değilim, ben insansam onlar değil" diyordu Salih. "Ne şakalarından anlarım, ne esprilerinden. Onlar da benim bildiğimi bilmez."

Söylediği her şey doğruydu. Salih'in ilgi alanları bile onlardan çok farklıydı. Hem en iyi okulları bitirse bile alacağı diplomaların ona ne faydası olacaktı ki... Bir işyerinin kapısından bile girmeye korkan biri için başarılı olmak artık hayal olmuştu.

Odasına kapanıp kitap okumayı, yepyeni şeyler öğrenmeyi bir yaşam biçimi haline getirmişti artık. Bir tek o odada korkmadan yaşayabiliyor, tek sevdiği şey olan kitaplara sarılıyordu.

Liseyi bitirene kadar, tam da biz anne babaların hayalindeki çocuktu Salih.

Çok iyi bir öğrenci olmak, çocuğumuzun gelecekte çok başarılı biri olmasına yetmiyormuş demek ki... Çocuklarımız hayatın gerçekleriyle yüzleşmeden, yenilmeden, hırpalanmadan, isyan etmeden, insanlarla ilişki kurma sanatını öğrenmeden, hayatla mücadele etmeden, kendilerini keşfetmeden, ağlamadan, üzülmeden, âşık olmadan, hayatın içinde kendilerine ait bir dünya kuramadan biz onları ne kadar korusak da, hayatın içinde kendilerine bir yer bulamıyorlar.

Hayat bizden çok şey istiyor aslında. Ders başarısı, bunlardan sadece biri... Her şey mükemmel görünüyorsa, zaten orada bir sorun vardır. Biz insanlar eksiğimizle, fazlamızla, yanlışımızla, doğrularımızla bir bütünüz.

Bunun gibi daha pek çok genç ve aile tanıyorum. Kimi üçüncü fakülteyi bitirmiş, kimi yüksek lisans ve doktora üstüne doktora yapma peşinde. Dıştan bakınca çok normal, çok başarılı görünseler de, hayatla tanışmayı, hayatın içine girmeyi geciktirebilme peşinde çoğu.

Bir yandan da biz anne babalar çocuklarımızı iyi yetiştirelim derken aslında onları ihmal ediyoruz. Hayatın hiçbir güzelliğini onlarla paylaşamıyoruz. Hadi ders çalış diyerek odalara kapatıyoruz çocuklarımızı. Bazılarımız ise yarış atı gibi görüyor onları.

Bir de sık sık onlara ettiğimiz sitemler var. Yıllardır onlar için yaptığımız fedakârlıkları bir bir sıralıyoruz yüzlerine. Borçlandırıyoruz çocuklarımızı. Hep biz konuşup, onları pek dinlemiyoruz.

Çocuklarımızı sadece biz anne babalar değil, bazı öğretmenlerimiz de çok sıkıştırıyor. Dışa dönük, daha sosyal çocukları pek tercih etmiyor, hatta sıkça onları eziyor, gururlarını kırıyorlar. Oysa bir gencin ortalık yerde gururunu kırmak, ona kurşun sıkmak gibidir. Onların kaderini etkiler.

Tabii ki çocuklarımızın aldığı eğitim, okul başarısı her zaman çok önemlidir ama onlara arada bir özgürlük tanımalı, yeni yaşam alanları sunmalıyız. Hayat, yaşanmadan öğrenilmiyor. Zaten hayata atıldığımızda diplomalarımızdan çok insan ilişkilerindeki başarımız, yeniliklere adapte olabilme yeteneğimiz daha önemli olabiliyor.

Çocuklarımıza önce sağlıklı, huzurlu, mutlu, hem kendiyle hem de çevresiyle barışık ve iyi insan olmayı öğretelim diyorum. Hayat sadece kitaplardan öğrenilmiyor. Hayatın kendisi bir okul zaten.

Çocuklarımızı bundan mahrum etmeyelim...

Bir erkek hikâyesi

Şimdi de size bir erkek hikâyesi anlatacağım. Eskiden erkekler pek fazla yazmazdı bana ama artık kendilerini tanıtmadan, bir başka isimle de olsa rahat rahat içlerini döküyorlar. İşte o mektuplardan biri de İsmail Bey'den geliyor. Bakın bana neler yazmış:

Merhaba saygıdeğer hocam,

Kul sıkışmadan Hızır yetişmezmiş diye bir söz vardır. İşte ben de bu ara öyle sıkıştım. Bir doktorun karşısına geçip bütün dertlerini anlatmak, biz erkekler için o kadar kolay değil. Belki de ben öyle değilim ama başka bir isimle yazma fikri aklıma gelince hemen geçtim bilgisayarın başına.

Hocam eşim beni terk etti, tam boşanmadık ama geri dönmeyecek, biliyorum. Ümidimi kesmek istemiyorum bir yandan da. Altı yıllık evliyiz. Karımla üniversitede tanıştık. Önce o bana ilgi ve yakınlık gösterdi. Bu kadar canlı ve hareketli bir kızın benim gibi pasif birine niye baktığını hiç anlayamadım çünkü ben hareketli bir sosyal hayatı olmayan, kalabalıkta kendini hep rahatsız hisseden biriyim. Zamanla bu arkadaşlık evlilik aşamasına kadar geldi. İkimiz de kendimize uygun iş bulmakta zorlanmadık.

Karım her yerde olduğu gibi iş hayatında da çok başarılı oldu. Bu kadar ağır iş yükü altındayken bile ne ailesini ne de sosyal hayatını ihmal etti. Ancak aynı şeyi ben yapamadım. Zaten oldum olası kolay ilişki kurabilen biri değilim. İşyerinde mecburen arkadaşlarımla bir arada olduğum zamanlar ne konuşacağımı bilemem, ya yanlış bir şey söyler de rezil olursam diye korkarım. Kimse beni sevmezmiş gibi gelir bana. Bir yandan da hep izlerim onları, ne diyorlar, bana bakıyorlar mı, hakkımda ne düşünüyorlar diye...

Benim bu pısırıklığım yüzünden herkes terfi alırken ben bir türlü alamadım. Bu da yetmez gibi bizim direktör çok uğraşır benimle. Durup durup beni yanına çağırır, kendime çekidüzen vermem gerektiğini, bu işlerin sadece bilgisayar başında oturarak yapılmadığını anlatır durur. O bana fırça çekerken bir gün olsun ona hak ettiği cevabı veremez, yumruklarımı sıkmakla yetinirim. Bunlar neyse de, gözlerim dolmasa yine idare edeceğim ama gözlerim dolunca adama olan öfkem bu sefer de kendime dönüyor. Sen ne biçim adamsın diye içimden sövüp sayıyorum kendime.

İşte eve böyle gelen bir adam ne yapar, düşünün. Hanım gelmiş, keyfi yerinde, mutfakta bir yandan yemek hazırlıyor, bir yandan telefon kulağında, arkadaşlarıyla sohbet ediyor. Gel de bozulma.

Seninle ilgilenmiyor diye mi kızıyorsun diyecek olursanız, o da değil. Kadın her şeyin üstesinden nasıl da geliyor diyorum içimden. Bir yandan onun bu hali hoşuma gidiyor, bir yandan da ona baktıkça kendime daha çok kızıyorum.

Kadın haklı, dışarda yemek yemek ister, sinemaya, tiyatroya, eş dost ziyaretine gitmek ister ama ben istemem. İstemek istesem de isteyemem ki... Ben şimdi oralarda ne yapacağım? Herkes gülerken, konuşurken ben somurtup otursam olmaz, konuşsam onu beceremem.

İşte sorunlar da bu aşamada başladı. Evde karşılıklı yemek yerken bile karım konuşmak, sohbet etmek ister ama ben bunu yapamayınca ne yaparım; bağırır, çağırır, evde hadise çıkarırım.

Siz de kadınsınız, karımı benden daha iyi anlayacağınızdan eminim ama beni de anlasanız keşke. Bu işler herkese kolay gibi görünse de, bana değil işte. Baktım bu bağırmalar, çağırmalar ilişkiyi kötüye götürecek, bu sefer de konuşmaz oldum, sustum. Sanki o evde karım yokmuş gibi davranmaya başladım. Eve geliyorum, merhaba demek bile zor geliyor bana. Yemekten sonra da geçiyorum televizyonun başına, elimde kumanda, o kanal senin, bu kanal benim dolaşıp duruyorum. Ne izliyorsun derseniz, bir şey izlediğim de yok. Vakit geçsin maksat.

Aynı evde iki yalnız insan olduk yani. İçimden o yalnızlık nasıl buram buram tütüyor, size anlatamam ama karım öyle mi, değil. Baktı ki benim konuşacağım yok, geçti odasına, ya ailesiyle telefonda güle oynaya konuşur, ya heyecanla televizyon seyreder. Kadın yaşıyor yani... Yaşamayan benim.

Yalanlar işte o sırada başladı. Karım işinde giderek daha başarılı olup terfi üstüne terfi alırken, ben yerimde sayıyorum. Kadıncağıza işimde aldığım terfileri, tebrikleri filan anlatmaya başladım. Benzer yalanları işyerimde de söylüyorum. İnternete girip nerede sergi var, tiyatroda hangi oyun var, hepsini iyice inceleyip arkadaşlarıma oralara gitmişim gibi anlatmaya başladım. Yani konuşmuşluk olsun işte...

Bunların hepsinin yalan olduğunu anladılar mı, anlamadılar mı, orasını da tam bilmiyorum. Sonuç olarak bunlar da pek işe yaramadı. Ben yalnız, mutsuz ve kötü bir adam haline geldim. Böyle birini kim ister, kim sever ki... Ben olsam, ben de istemem zaten.

Karım bir süre idare etti beni yani hemen vazgeçmedi benden ama sonunda öyle bir şey yaptım ki, kadıncağıza çekip gitmekten başka çare bırakmadım. O gün onunla çok kavga ettik. Belli ki bıkmış benden. Ağzına geleni söyledi bana, tabii ben de ona. Önümde duran cam kül tablasını öyle bir fırlatmışım ki, kadının başına gelse ne olurdu, ben bile korktum. Ben ne yaptım diye çok dövündüm ama iş işten geçmişti. Karım ertesi gün evi terk etti. O gün işe de gidemedim, evin içinde sıkıntıdan ve öfkeden bir aşağı bir yukarı gezinirken kim bilir kaç kilometre yol yürüdüm.

Şimdi aradan yedi ay geçti. Eşim hemen boşanma davası açtı ama ben direniyorum. O da giderse ben ne yaparım, bu hayat nasıl geçer bilmem ki...

Şimdi her gün kapısını aşındırıyorum, mesaj üstüne mesaj yazıyorum, özrün her türlüsünü diliyorum ama beni affetmiyor. Yanımdayken kıymetini bilmedim, şimdi aklım başıma geldi ama bu sefer de bunu ona anlatamıyorum.

İlk darbe karımdan geldi. Şimdi sıra bizim direktörde. O da beni istemez de işime son verirse, işte o zaman bittim ben. Zaten işimde başarılı olabilseydim, evde de böyle olmazdım da, olmadı işte.

Sizce ben karımı nasıl ikna eder, onu nasıl geri getiririm? Lütfen bana bir yol gösterin hocam. Eğer yazdıklarımı okuduysanız şimdiden çok teşekkür ederim.

Saygılar

Yapılan araştırmalar, evrimsel olarak erkeklerin var oluşlarını ve başarı hissini en yoğun olarak çalışma hayatlarında ve iş hayatındaki ilişkilerinde; kadınların ise sosyal ilişkilerinde ve özellikle aile hayatlarında gerçekleştirdiklerini gösteriyor. Bu nedenle iş hayatında aksaklıklar olması, sosyal ortamda başarılı olamama gibi durumlar, erkekleri, kadınlara nazaran daha derinden yaralıyor ve onların kendilerine güvenleri giderek azalıyor. Ve genelde bunun acısını aile hayatından, eşlerinden kimi zaman çocuklarından çıkarıyorlar. İşyerinde müdürüne, çalışma arkadaşlarına gösteremediği öfkeyi ve tepkiyi, bazen kavga ederek, bazen de susarak evde ailelerine gösteriyorlar.

Kadınlara ve çocuklara karşı artan şiddetin bence en önemli nedenlerinden biri de bu zaten. İşyerinde ezilen ya da işsiz kalan erkek işinde ve sosyal yaşamında daha başarılı olan kadın karşısında eziliyor. Erkeklerin iç dünyalarında hissettiği bu eziklik ve örselenmişlik duygusu, özel hayatında bir kadın tarafından terk edilmeye karşı onların hassasiyetini artırıyor ve erkek adeta paniğe kapılıyor. Son zamanlarda sıkça gördüğümüz terk eden eşe ya da sevgiliye yönelik, cinayete kadar gidebilen erkek şiddeti vakalarının büyük bir artış gösteriyor olmasının en önemli nedenlerinden biri de bu.

Kız çocukları daha fazla eğitim alıp işgücüne katılırken, erkeklerin tahtlarının sallanması onları olumsuz etkiliyor. Ya iş bulamıyor ya da kadın kadar başarılı olamayabiliyorlar. Zayıf, işsiz ya da işyerinde ezilen erkek, bir de eşinin ya da sevgilisinin elinden kayıp gitmesine tahammül edemiyor. Bunu gurur meselesi yapıyor.

Sadece ülkemizde değil tüm dünyada giderek artan erkeğin kadına uyguladığı şiddetin özünde, erkek zayıflarken kadının güçlenmesi yatıyor.

İsmail Bey'in hikâyesinin temelinde de bu çatışma, bu rekabet yatıyor. Bir yandan kendi eksikliklerini biliyor, bir yandan da eşinin hem iş hem de sosyal hayatındaki başarısı ve becerikliliği karşısında kendini zayıf hissediyor.

Hani bana soruyor ya, "Eşimi nasıl ikna ederim?" diye, eşi geri dönse onun hayatında ne değişecek ki... O zaten eşinin bir gün onu terk edeceği korkusuyla yaşamış hep. Şimdi de işinden kovulacağı günü bekliyor. Bu tür korkular yani terk edilme, sevilmeme, reddedilme ve başarısızlık korkuları bizim kaderimizi yazar aslında.

Bir tarafı, böyle devam ederse eşinin onu terk edeceğini biliyor ama buna o kadar inanmış ve saplanmış ki, ne yaparsam yapayım bu kaderi değiştiremem, diyor sanki. Hayata teslim olmuş adeta.

İsmail Bey kendi gerçeklerinin bir kısmını çok iyi bilen biri. Hal böyleyken o değişmedikten sonra eşi geri gelse ne olacağını hayal ediyor acaba? Aklım başıma geldi ama çok geç dese de, İsmail Bey'in aklı hep başındaymış zaten. Bu zamana kadar hep doğruları görürken şimdi nasıl da kandırıyor kendini. Tek sorunu eşini geri döndürmekmiş gibi bir bahaneyle kendi gerçeklerini bir kenara itivermiş. Oysa aklı ona yine oyun oynuyor.

Oysa değişmeyi, bu katı inanç ve korkularından kurtulmayı, bir gün kendine güvenmeyi, kendiyle barışmayı eğer gerçekten çok istiyorsa, bunları mutlaka bir terapistle görüşmeli.

Nasıl bir ailede büyüdü, doğduğu ev ona hayatı ve kendini nasıl tanıttı, nasıl örnekler üzerinden aktı hayata, bunları yazmamış. Ancak farkındalığı bu kadar yüksek birinin terapiden çok faydalanacağını düşünüyorum.

Ülkemizde bu tür erkeklerin sayısının çok olduğunu tahmin ediyorum. Bunlar sadece ailelerini mutsuz etmekle kalmıyor, kendileri de mutsuz, yalnız, hayata küsmüş, sevilse de buna hiç inanmamış, kendine olan öfkenin nedenini en yakınlarında arayan, kırık bir kalple yaşıyorlar bu hayatı.

Eğer İsmail Bey kendini keşfeder, hayatla ve kendiyle barışır, kendine güvenmeyi başarırsa karısı geri döner muhtemelen ya da dönmezse de çok mühim değil çünkü artık İsmail Bey kendi hayatında var olmayı başarabilmiş olacak. Yokluktan varlığa geçmiş biri için ise, çareler hiç tükenmez.

Evlilik üzerine

Ülkemizde sık görülen sorunlardan bir de evlilik sorunudur. Biliyorsunuz ülkemizde de son yıllarda boşanmalar giderek artıyor. İnsanlar evlenmeye de çok çabuk karar veriyor, boşanmaya da.

Doğal olarak gençler evlenme kararı alırken bunun çok farklı bir yaşam şekli olduğunu, artık o güne kadar olan günlük düzenlerinin çok değişeceğini pek düşünmüyorlar. İki tarafın da evlilikle ilgili çok güzel ama birbirinden çok farklı hayalleri oluyor. Taraflar sanıyor ki evleneceğim, yanımda sevdiğim biri olacak ve ben bundan hep memnuniyet duyacağım.

Hele taraflar birbirini bir süredir tanıyorsa, evlenince zaten çok iyi tanıdığı biriyle sorun çıkmaz diye düşünüyorlar. Oysa evlenmeden yani aynı evi, aynı sorumlulukları paylaşmadan, bir de çocuk sahibi olmadan taraflar birbirini hiç tanımaz, tanıyamaz. İki tarafın da evlilikten beklentileri farklıdır. Herkes o evlilikte kendi alışkanlıklarını sürdürmek ister. Kendi doğrularını hayata geçirmek ister. Oysa dünyada pek çok doğru vardır.

Çocuk sahibi olup olmama ise apayrı bir konu. Eskiden insanlar hiç düşünüp taşınmadan çocuk sahibi oluyormuş. O zaman çocuğun da pek kıymeti yokmuş zaten. Ölen ölür, kalan sağlar bizimdir hesabı yani.

Şimdi çocuklarımıza neyse ki çok daha fazla değer veriyoruz ama yine de buna hazır mıyız diye sormadan doğuruveriyoruz.

Yukarıda, "Bir Erkek Hikâyesi" başlığı altında, kendisini terk eden eşini geri getirmeye çalışan bir erkeğin mektubunu paylaşmıştım. Şimdi de benzer şeyleri bir kadının ağzından dinleyelim. Bakalım o ne diyor.

Merhaba Gülseren Hanım,

Bu ara kafam öyle karışık ki, size yazıp ben de şansımı denemeye karar verdim. İnşallah okur da bana da bir cevap yazarsınız.

Ben on bir yıllık evliyim. Zaten evlenmemiz aileler arasında büyük mesele oldu. Her kafadan bir ses çıktı ama biz birbirimizi çok seviyorduk, ne yaptılarsa bizi ayıramadılar. Neyse, sonunda evlendik. Daha evliliğin tadını çıkaramadan ilk günden hamile kaldım. Bulantılar, kusmalar oldu, yataktan kalkamadım. Doğum da zor oldu.

Bir anda ben anne, eşim de baba oluverdi. İkimiz de henüz buna pek hazır değilmişiz. Çocuğa nasıl bakacağımızı bilemedik. Oğlumuz da hep ağlayan, zor bir çocuktu. Kayınvalidem o ara çok sık gelirdi bize, hayırlı olsuna gelen misafirler de vardı. Hepsinin altından kalkmaya çalıştım.

Eşim zaten akşama kadar evde yok, çalışıyor, her şeyle ben uğraşıyorum. Akşam o geldiğinde ben sinirli ve gergin oluyordum. Kavgalarımız da işte o zaman başladı.

Oysa biz evlenmeden önce her şeye rağmen hiç kavga etmezdik. Bir türlü hayatımız düzene giremedi. Çocuğumuz çok yaramaz ve huysuzdu. Okula başlayınca biraz rahatlar gibi olduk ama bu sefer de çocukta başka sorunlar başladı. Arkadaşlarıyla geçinemedi, vurmalar kırmalar da olunca okul bize haber verdi. Doktora götürdük. Dürtü kontrol bozukluğu dediler ve tedaviye başladık.

Evlendiğimiz günden beri peşimizi hiç bırakmayan bu sorunlar sonunda ikimizi de yordu. Sanki karı koca olduğumuzu unuttuk, sadece anne baba olduk. Omuzlarımızdaki yükü kaldıramadık.

Sonunda eşim benden soğudu, bana olan sevgisi bitti. O aralar eskisine göre daha az kavga ediyorduk ama bir gün eve geç gelince ben çok kızdım. Bu geç gelmeler de sonradan çıktı. Öyle canım sıkıldı ki, ben evde daralmışım zaten, "Git" dedim, "bir daha hiç gelme!"

O da zaten benim böyle dememi beklermiş gibi hemen toparlanıp annesinin evine gitti. Bir hafta hiç gelmedi. Nihayet bir hafta sonra geldi ama bir lafımla bir hafta eve gelmemesi içime çok dokundu. Bir kez daha, "Madem gitmeye bu kadar heveslisin, öyleyse git, bir daha gelme" dedim.

Ne dese beğenirsiniz, "Tamam, gidiyorum zaten" demez mi? Neye uğradığımı şaşırdım. Bizden bu kadar çabuk vazgeçmesine inanamadım. Sanki dünden hazırmış da, bahane arıyormuş. Bu durum beni iyice çileden çıkardı. Şeytan aklıma bin bir türlü şey getirdi. Günlerce ağladım.

Şimdi üç aydır ayrıyız hocam. O annesinin evinde yaşıyor ama eli hep üzerimizde. Her türlü masrafımızı karşılıyor, bir dediğimizi iki etmiyor, yani varını yoğunu bize harcıyor. Her gün mutlaka arıyor bizi. Telefonda uzun uzun konuşuyoruz. Arada bir de bize yemeğe geliyor. Onun bu ilgisi, eve gelmeleri filan hoşuma gidiyor, artık eve temelli döner sanıyordum.

"Yeter artık, dön evine" dedim. "Ben artık bu eve dönmem" dedi. Her sefer ümitlerimi kırıyor benim.

Sonunda dayanamadım, bu sefer de "Boşanalım o zaman" dedim. Ona da "Tamam" dedi. Ne desem itiraz etmiyor, bu da beni çıldırtıyor. Gidiyor ama arıyor da. Kafam iyice karıştı.

Siz benim böyle dediğime bakmayın. Gitmesini hiç istemiyorum. Zaten boşanma protokolünü imzalamaya ne onun eli

gidiyor, ne de benim. Öylece bekliyoruz. Ama bu arada çok yıp-
randım. Ben eşimi çok seviyorum. Ondan boşanmak şimdiye
kadar aklımın ucundan bile geçmedi. O benim vazgeçilmezim.
Ben onsuz nasıl yaşarım, ne yaparım hiç bilmiyorum.

"Madem geç geliyorsun git" dediğimde gitmez sandım. Bir
hafta sonra, "Artık eve dön" dediğimde hemen döner sandım.
Hele, "Boşanalım" deyince hemen kabul edeceği hiç aklıma
gelmedi. Hâlâ ümidimi kesmiş değilim, o beni boşamaz diyo-
rum ama bir yandan da korkuyorum.

Ya boşarsa...

Ben onsuz ne yaparım, nasıl ayakta dururum hiç bilmiyorum.
Çok zor durumdayım. Bir çıkış arıyorum, bulamıyorum. Ne ya-
pacağımı şaşırdım. Bunun bir yolu vardır mutlaka deyip duru-
yorum. Ne olur bana bir yol gösterin. Ben nerede yanlış yaptım?
Yalvarıyorum size, kocamı kaybetmemenin yolunu gösterin bana.
Ellerinizden öperim.

Gülnihal

Gülnihal bize pek çok kadına yol gösterecek bir soru sor-
muş. Eminim birçok kadın böyle sorunlar yaşıyor ve ne yapa-
cağını bilmiyor.

Yuvayı her zaman dişi kuş yapar. O evi, o yuvayı güzel-
leştiren de, ısıtan da, disipline eden de aslında hep kadındır.
Daha adımını attığı gün o evin kurallarını o koyar. İster ki, o
ev tam da onun düşündüğü, onun hayal ettiği ya da sıklıkla
onun alıştığı gibi olsun. Çarklar hep öyle dönsün.

Ancak erkek, bu yuvaya sadece misafir olarak gelip gider,
o evi kendine ait hissetmez, ona sadece sorunları ve sitemleri
dinlemek kalırsa, o eve gelmek, o evde olmak istemez.

Bizler yani bu ülkenin genç kızları ve kadınları bunu çok
sık yapıyoruz. Sanıyoruz ki o ev sadece bizim. Ev bizim olun-
ca kuralları biz koyuyoruz ama sorumluluk da hep bize kalı-
yor. Erkeklerimizle hayatı paylaşmayı bilmiyoruz. Sonra da

sitem ediyoruz onlara, neden bana yardım etmiyorsun diye. Kelimeye dikkatinizi çekerim, "yardım" istiyoruz erkekleri- mizden. Yani diyoruz ki bu ev ve evin bütün sorumlulukları aslında bana ait ama sen de bana "yardım et".

Oysa o ev ikimizin olsa, evin hem kurallarını, hem yaşam biçimini, hem de sorumluluklarını ikimiz paylaşabilsek hep yardım isteyen kadın olmayacak. Bunu hiç fark etmeden, bundan doğal bir şey yokmuş gibi yani otomatik olarak yapı- yoruz.

Burada kadınlarımızı kınıyor değilim çünkü aynı hataları zamanında ben de yaptım. Bizim evde babam eve misafir gibi gelir giderdi. Hepimiz onu kapıda tıpkı misafirmiş gibi karşı- lar, sofrada başköşeye oturtur, hiçbir hizmetini eksik etmez, yemekleri beğendi mi diye gözlerinin içine bakar, çayını kah- vesini gümüş tepsilerde getirirdik. Ona da, bize bütün kibar- lığıyla teşekkür etmek, elinize sağlık demek kalırdı. Annem bir gün olsun sitem etmezdi babama.

Ben evlendiğim zaman tam da o evde öğrendiğimi yaptım. Sofralar hazırladım, kahveler yaptım, eşimin gözleri parla- dı. Ona da bacak bacak üstüne atıp televizyonun karşısında kahveleri beklemek kaldı. Sonra çocuklar doğdu. Sorumlu- luklar çoğaldı. Eşim ise elinde kumanda, televizyonun karşı- sında kahvesini beklemeye devam etti.

Bir gün anneme gittim, salonda annemle oturuyorduk ki kapı çalındı, annem açtı kapıyı. Aydın gelmişti, yani eşim. İkisi birden salona girerken annem yavaşça kulağıma eğildi, "Kızım kocan geldi, ayağa kalkıp karşılasana" dedi. Elimde kahve olmasa kalkardım zaten ama iyi ki varmış çünkü ne- rede yanlış yaptığımı tam da o gün anladım.

Eşim o gün sık sık sordu bana, neye gülüyorsun diye. "Kendime" dedim ama daha fazlasını söylemedim. Henüz Hacettepe'de asistandım o zaman. "Bir de psikiyatrist ola- caksın" dedim kendime, "şu haline bak."

Sonradan o halime uzun uzun baktım. Yani nihayet daldığım uykudan uyandım, annem gibi yapmaktan, alıştığım düzeni uygulamaktan vazgeçtim. Biz buna psikiyatride "farkındalık" diyoruz.

Aradan yıllar geçti. Bir gün, bir pazar günü kahvaltıdan sonra eşimle camın önündeki koltuklarda oturup dışarda yağan karı seyredecektik. Ben hemen oturdum yerime, bayılırım kar seyretmeye. Birazdan elinde tepsiyle eşim geldi. Hem de gümüş tepsi... İçinde en güzel fincanlarda mis gibi kahveler. Fincanı alırken beni yine bir gülme tuttu. Öyle çok gülüyorum ki, kahve dökülecek. Eşim yine sordu, "Ne gülüyorsun?" diye. "Bir yanda yağan kar, bir yanda köpüğü bol, ağır ateşte, senin yaptığın kahveler. Ben gülmeyeyim de kimler gülsün. Eline sağlık" dedim. Niye güldüğümü sanırım anladınız. Aslında o kahkahalar başarımı kutlamak içindi. Çok çalışmış ama sonunda eşimle hayatı her yerde paylaşmayı başarmıştım.

Sana gelince Gülnihal kardeşim, sen de muhtemelen içinde büyüdüğün ailede gördüğün şekilde, evlenince daha ilk günden evini tek başına sahiplenmiş, tüm sorumluluğu tek başına üstlenmiş ve eşini hepten unutmuşsun.

Evlenmeden önce ne güzel bir ilişkiniz varmış. Her zorluğa rağmen birbirinizi hiç ihmal etmemiş, ailelerle birlikte mücadele etmiş ve sonunda evlenmişsiniz.

Acaba hemen bir çocuk istiyor muyuz, buna ikimiz de hazır mıyız diye sormak hiç aklınıza gelmemiş. Hemen bir çocuğumuz olsun mu, olmasın mı diye eşinle konuştuğunuzu, konuyu önemsediğinizi hiç sanmıyorum. Aslında anne baba hiç hazır değilken doğan o çocuklara da yazık oluyor, böyle anne babalara da.

Akşama kadar gerildikçe eşine hep sitem etmişsin. Evde kavga gürültü bitmemiş.

Sanırım o evde bir düzen, disiplin de oluşamamış. Oğlunuz da tıpkı sizlerden öğrendiğini yapmış. Kavga etmiş arkadaşlarıyla, vurmuş, kırmış.

Birbirinize hiç zaman ayıramamışsınız. Ne o sana, ne sen ona. Eskiden o senin erkek arkadaşınmış ama aranızda arkadaşlık filan kalmamış, daha doğrusu ilişki bitmiş. İnsan doğru dürüst ilişki kuramadığı, hayatı paylaşamadığı birini sever mi, sevmez. Sen de sevmiyorsun aslında. O senin dediğin sevgi değil, alışkanlık ve korku. Yalnızlık korkusu. Evde sitem edecek, kavga edecek bile biri yok korkusu.

Siz hayatı paylaşmamışsınız ki... Birbirinizle sadece kavga ederek ilişki kurmuşsunuz. Kavgalar da bitince ilişki iyice kopmuş.

Bunu yapan binlerce kadın var ülkemizde. Neden? Çünkü evlilik nedir, kadınla erkeğin bu yepyeni beraberlikte rolleri nedir, sorumlulukları nedir hiç düşünmemiş, hiç konuşmamışsınız ki... Beraber gülüp, beraber ağlamamışsınız ki... Siz onun varlığını unutmuşsunuz, o da sizin. O sizin için hep sitem edilecek, kavga edilecek biri, siz de onun için her akşam nazı sözü, sitemi bitmeyen bir kadın olmuşsunuz.

Ayrılık ikinize de iyi gelmiştir aslında. Nihayet birbirinizin varlığını görmüş, kabul etmiş ve özlemişsiniz. Eski düzeni sürdürecekseniz sakın bir araya gelmeyin ama önce siz, sonra da eşiniz, "Neden bu hale geldik acaba?" diye sorar, bunu karşılıklı, birbirinizi hiç suçlamadan konuşur, tartışır, yepyeni bir düzen kurabilirseniz, o zaman bir araya gelin.

Çareyi eşinizi ikna etmekte aramayın. Aslında çare sizde.

Başka türlü size de, eşinize de, hatta oğlunuza bile yazık olacak.

İşte böyle, evlilikle ilgili sorunlarınız mı var, bunun nedenini karşı taraftan önce kendinizde arayın.

Unutmayın, siz değişirseniz dünya değişir.

Altın bilezik

Bana her gün birçok mektup geliyor. Bu mesajların çoğunu kadınlar yazıyor ve her biri kendi hayat hikâyesini ve sorunlarını anlatıyor bana. Bu hikâyelerin çoğu hüzün kokuyor.

Bizim ülkemizin çocuklarının büyük bir kısmı ne yazık ki, doğdukları evlerde ihtiyaçları olan sevgiyi, şefkati, ilgiyi ve değeri bulamıyor demek ki...

Oysa bizler çok duygulu, merhametli, sevecen insanlarız. Çocuklarımızdan bu güzel duygularımızı neden esirgiyoruz acaba? Özellikle kadınlarımızdan gelen mesajlarda neden bu kadar acı, hüzün ve çaresizlik var.

Bir kısım aile çocuklarını başlarında taşırken geri kalanı neden onların varlığını bile kabul etmiyor, hele çocuk erkek değil de kızsa, bir an önce evlendirip onlardan kurtulmaya çalışıyor.

İşte o mektuplardan biri de ülkemizin güney illerinden birinde yaşayan Saliha'dan geliyor. Bakın Saliha mektubunda neler yazmış;

Gülseren Hanım,

Nasılsınız, iyi misiniz? Ben sizi yakından takip ediyorum. Kitaplarınız olsun, dizileriniz olsun, hiçbirini kaçırmıyorum. Bu sefer de bari ben içimi dökeyim, bari beni de biri dinlesin, anlasın dedim ve bu mektubu yazdım.

Evliyim ve bir kızım bir de oğlum var. İkisi de daha küçük. Kalabalık bir ailede büyüdüm. Biz beş kardeşiz. Evde bir de halamla çocukları vardı. Sofralara sığmazdık. Ben ailenin iki numaralı çocuğuyum. Çocukluğun nasıl geçti diye soracak olursanız, önce şunu derim: Biz sevgisiz ve ilgisiz büyüdük. Daha doğrusu bizler birbirimizi büyüttük. Ablam beni, ben, sonrakini...

Biz hiç baba yüzü görmedik. Bizi yedirdi, içirdi, karnımızı doyurdu ama bize babalık yapmadı. Evde durmayı hiç sevmez, işi erken bile bitse hemen kahveye giderdi. Kazandığı para evi geçindirmeyince hep birlikte İstanbul'a göçtük. Ben o zamanlar daha yeni genç kız oluyordum. Annem derseniz o da bizimle bir gün olsun oturup konuşmaz, saçımızı okşamaz, bir kere bile sarılıp öpmezdi. Öyle şapur şupuru sevmezdi. Hep işi vardı. O işlerden sıra hiç bize gelmezdi.

İstanbul'da babam daha iyi bir iş buldu ama bu sefer de her şey çok pahalıydı. Genç kız olunca insan giyinip kuşanmak istiyor. Biz kızlar dolapta ne varsa, erken kalkan kapar usulü giyer giderdik. Ben kendimi hiç beğenmez, hiç de güvenmezdim.

Beni kimse sevmez derdim. İşte o ara biri beni sevdi. Biz onunla sevgili olduk. Daha üç ay geçmeden evlenelim diye tutturdu. Annem de beni sıkıştırıp duruyordu zaten. Baban duyarsa kıyamet kopar, bir an önce bu işin adını koyalım diye. Ben daha önce hiç erkek tanımamışım, karşımdaki oğlan nasıl biri, iyi mi, kötü mü bilemedim. Derken apar topar nişanlandık.

Biz yüzükleri takar takmaz oğlan gerçek yüzünü göstermeye başladı. Her şeye kızar, her şeye bağırır... tam bir sinir küpü yani. Meğer öfke kontrol bozukluğu varmış. Ben o zaman anladım bunu, hemen gidip anneme söyledim. Bu çocuğun psikolojisi bozuk, hep kavga ediyor benimle dedim. Hasta bu oğlan dedim. Annem ne dese beğenirsiniz? "Madem öyle, bunu nişanlanmadan önce söyleseydin ya, artık iş işten geçti. Ben, kızı nişanlıdan ayrıldı dedirtmem. Bunlar için nişan atılmaz" dedi. Ben de istemeye istemeye evlenmeye mecbur kaldım.

Evlenmez olaydım keşke. Nişanlıyken öyle yapanın evlenince değişecek hali yok ya, daha beter oldu. Bu sefer de beni her gün bir bahaneyle dövmeye başladı. Evleneli altı sene oldu, daha bir iyi sözünü duymadım. Bırakın iyi sözü, adam zaten eve küfrederek giriyor. Daha bir yıl dolmamıştı ki beni bir gün yine çok dövünce annemlerin evine gittim. Dedim, "Bu adam deli, beni çok dövüyor. Bir an önce beni ayırın bu adamdan, benim daha fazla çekecek halim kalmadı."

Annem yine yüzünü eğdi, öyle hemen ayrılamazsın dedi. Bu sefer babama gittim. Oturdum önüne, böyle böyle dedim. Beni kurtarın bu adamdan. Derken eşimin ailesi geldi, konuştular, sanki kavga eden onlarmış gibi barıştılar ve beni de peşlerine takıp geri o eve yolladılar.

Annem sonra geldi, çocuğun olursa düzelir, aile olursunuz dedi. Demedi ki kızım gel, bu ev senin evin, elin adamının kahrını çekme. Arkanda bırakacağın çoluğun çocuğun da yok, biz sana gül gibi bakarız. Onlar böyle demeyince ben hamile kaldım. Bizim adam bir gün iyi söz söylemedi, yüzüme bile bakmadı. Çocuk doğdu, dikişli halimle yine her şeye ben koştum, kayınvalidemleri ağırladım, ayaklarım üşüye üşüye mutfakta yemek yaptım, eşim de bir işin ucundan tutmadı. Çocuğa yalnız başıma baktım. Tam o biraz büyüyünce yine hamile kaldım. Bu sefer de oğlanı doğurdum.

Hani annem demişti ya, çocuk doğurursan kocan düzelir diye, hiç öyle olmadı. Çocuklar da benim başıma kaldı. Kimse yardım etmedi. Kocam iyice eve uğramaz oldu. O zaman anladım ki, çocuklarım da benim gibi babasız büyüyecek.

Şimdi siz diyeceksiniz ki, "Kızım, madem bu adamdan bu kadar şikâyetçiydin, neden iki çocuk doğurdun?" Peki ama hocam, ben ne yapacaktım. Ailem kızım boşan gel, biz sana bakarız dedi de ben mi gitmedim? Tam tersi, çocuk yap, düzelir dedi annem. Sonra ne oldu, bu sefer de iki çocuğun var, zaten onlarla hiçbir yere sığamazsın dediler. Sen bir başınayken sana gel demeyenler, bu halinle gel diyecek değil ya...

Sizin anlayacağınız daha otuz yaşımda, iki çocuğumla çaresiz kalakaldım. Evlenmeden önce insan evliliği iyi bir şey zannediyor. Benim de bir evim olsun, kimsenin esiri olmadan orada mutlu olurum, kocam da beni çok sever diyorsun. Biri seni biraz severse kanatlanıp uçasın geliyor.

Yalnızlıktan da korkuyorum zaten hocam. Hep etrafım kalabalık olsun istiyorum. Çocukluğum hep kalabalık evlerde geçti, acaba ondan mıdır? Bir arkadaşımla küssem, önce onu takıyorum kafama. O da beni sevmiyor diye günlerce üzülüyorum. Ama sonra hemen yeni bir arkadaş buluyorum kendime ki yanımda biri olsun, yalnız kalmayayım.

İnsan yalnızlıktan neden bu kadar korkar? Kocam halimden anlasaydı, beni böyle hep dövmeseydi, arada iyi söz söyleseydi, ben yine yalnızlıktan böyle korkar mıydım?

Etrafımdaki arkadaşlarıma bakıyorum, hepsi benim gibi mutsuz mu diye ama galiba kimse mutsuz olduğunu söylemiyor. Hele kocalarından dayak yediklerini hep saklıyorlar. En fakiri bile kendini zengin göstermeye çalışıyor. Ben de öyle yapıyorum. Kocamın beni dövdüğünü saklıyorum ama akrabalarımızın hepsi biliyor.

Kocam çocuklarla hiç ilgilenmiyor. Benimle de ilgilenmiyor zaten. Onun evde en önemli işi beni dövmek. İlk zamanlar aman dikkatli olayım da beni dövmesin derdim. Şimdi onu da bıraktım çünkü dikkatli de olsam dövüyor. Biraz da pis. Yıkanmayı sevmiyor. Çorapları leş gibi kokuyor, yine de yıkanıp yenisini giymiyor.

Şimdi eşimi hiç istemiyorum, nefret ediyorum ondan, boşanmak, ondan kurtulmak istiyorum. Bir de iş bulsam kendime filan diye hayaller kuruyorum. Bu devirde sana kim iş verir, çocuklarına kim bakar diyorum sonra da.

Öyleyse ben ömür boyu bu adama mahkûm muyum? Bıktım, çok yoruldum, tükendim yani. Bazen ölmek istiyorum ama çocuklar ortada kalacak. Ben ölsem onlara sahip çıkan da olmaz. Dedim ya, ailem zamanında bana sahip çıkmamış, benim çocuklarıma mı sahip çıkacak?

Yani benim ömrüm hep böyle mi geçecek, ben hiç mutlu olamadan ihtiyarlayıp gidecek miyim? Hiç mi kurtuluşum yok?

Hocam, bu yazıyı okursunuz inşallah. Hep dua ettim, okusun diye. O zaman cevap yazarsınız belki. Sevgiler hocam, ellerinizden öperim.

Saliha

Mektubu okurken yüzümde hüzünlü bir tebessüm belirdi. Saliha bu mektubu adeta bir çocuk kalbiyle yazmış. Saf, temiz ve çok samimi bir mektup bu. Ruhu hâlâ çocuk kalmış biri yazar bunları. Düşününce onun gerçekten hayatı da kendini de henüz hiç tanımadığını fark ettim. Nasıl tanısın ki...

Belli bir yaşa gelinceye kadar hayat dediğin sadece bizim içinde yaşadığımız evlerdir. Dışarı adım attığı gün, karşısına çıkan ve ona biraz ilgi ve sevgi gösteren ilk erkeğe kaptırmış gönlünü. Sonra onun hiç de hayal ettiği gibi biri olmadığını anlamış ama bu sefer de aile ayrılmasına izin vermemiş. Hatta annesi bir an önce çocuk doğur, o zaman düzelir her şey demiş. Bu devirde, işte böyle demiş. Bunlar çok eskilerde kalmış, küf kokan düşünceler değil mi?

Sırf bu çağda değil hangi çağda olursa olsun, çocuğun doğması hiçbir zaman kötü giden bir evliliği düzeltmez. Sadece sizin mutsuz olduğunuz bir eve yeni bir insan dünyaya getirmiş olursunuz ki, muhtemelen o da sizinle aynı kaderi paylaşan bir yetişkin olacaktır.

Sadece Saliha mı, belki de kendini böyle çaresiz hisseden daha kim bilir kaç bin genç kadın var bu ülkede. Hiç sevilmeden, hiç değer verilmeden, önemsenmeden büyüdüğü o evlerden çıkıp bütün umudunu evleneceği erkeğe bağlayan kadınlar...

Kendi hayatıyla ilgili kararları bile kendi alamayan, mutluluğu onu koruyup kollayacak, çocuklarına baba olacak bir erkekte arayan, henüz bireyselleşememiş, "Ben kimim, geleceğim için ne yapabilirim, kendi ayaklarımın üzerinde nasıl durabilirim?" diye düşünmeyi, kendi becerilerini keşfetmeyi, kendi sorumluluğunu almayı öğrenememiş kadınlarımız...

Benim zamanımda kızlarını okutup iş güç sahibi yapan aileler bununla övünür, "Kızımızın kolunda altın bileziği var, o artık kendi hayatını garanti altına aldı" derlerdi.

Hani, nerede Saliha'nın altın bileziği? O bileziği bizim kolumuza eşlerimiz değil, ailelerimiz takardı. Şimdi artık aileler kızlarını evlendirip başka diyarlara yollarken, onların yarınlarını hiç mi düşünmüyorlar?

Bundan yıllar önce aileler bütün bunları düşünüp çocuklarının geleceğini garanti almaya çalışırken şimdi o ailelere ne oldu, neden kızlarına sahip çıkmıyorlar?

Özellikle şiddet göstermeye eğilimli erkekler, evlenmeden önce bunu nişanlılarına ya da sevgililerine mutlaka hissettirirler. Bizim kızlarımızın keşke gözleri biraz daha açık olsa da, sonradan başlarına gelecekleri önceden görüp bir an önce kurtulsalar onlardan.

Esasında Saliha da evlenmeden önce nişanlısının şiddet eğilimini fark etmiş ama ne yazık ki ailesi ayrılmalarına izin vermemiş. Madem nişanlılık gençlerin birbirlerini tanımaları için düzenlenen bir ara dönem, keşke bu fırsatı kadınlarımıza gerçekten versek... Şiddet unsurlarını fark ettiklerinde ayrılmalarına, kendilerini korumalarına destek olabilsek...

Aslında kızlarımızın bu şiddet eğilimini gördüklerinden eminim ama evinde sevgi ve ilgi görmeyen, hiç değer verilmeyen kızlarımız, tek beni sevsin, gerisi önemli değil diyebiliyorlar.

Yani bir insan için çocukluğunda sevilmek ya da sevilmemek, önemsenmek ya da önemsenmemek işte bu kadar önemli. Bu sevgi ve ilgi eksikliği sonradan belki de o kızlarımızın hayatına mal oluyor ama yine de gözlerini kırpmadan bir yudum sevgi uğruna ölüme bile gidebiliyorlar.

Kocalarından dayak yediklerini kimseye söyleyememeleri de çok acı geliyor bana. Belli ki hepsi de bundan utanıyor. Bizim halkımızın önemli özelliklerinden biridir, "Kol kırılır, yen içinde kalır" demek. Bunları saklamak yerine üstüne basa basa söylesek, eşlerini döven erkekleri toplumumuz kınar mı acaba? Acaba erkekler eşlerini dövdüklerini arkadaşlarına söylüyorlar mı, merak ettim doğrusu. Bununla övünüyorlar mı yoksa?

Oysa toplumumuzda kadınlar günden güne güçleniyor ve giderek çok daha başarılı oluyorlar. Böylece acı olaylar ve trajik durumlar yaşayan kadınların sesini daha fazla duyabiliyoruz. Yani eskiden olduğu gibi şimdi artık kol kırılırsa hep yen içinde kalmıyor. Kadınlar korkmadan haklarını savunuyor, işaretparmaklarını kaldırıp cesurca asıl suçluyu göstermekten çekinmiyorlar.

Saliha sanırım kendisi gibi bir anne babanın çocuğu. Onlar zamanında sevilmemiş, değerli olamamış ki, bunu çocuklarına gösterebilsinler. Onlara göre çocuk dediğin o evde doğar; yedirirsin, içirirsin, üstünü başını da giydirirsin kendiliğinden büyür zaten. İşin kötüsü Saliha'nın da bildiği bu... O da büyük ihtimalle doğduğu evde öğrendiğini, gördüğünü yapacak ve kendisi gibi çocuklar yetiştirecek.

Buna öğrenilmiş çaresizlik de diyebiliriz. Yani kapılar açıkken o kapıdan çıkabileceğini hayal bile edememek... Oysa Saliha henüz çok genç bir kadın, çözümü başkalarında değil kendinde arasa, bunun için önce kendini sonra da hayatı tanısa, keşfetse, kendini geliştirse, mutluluğun sadece eşinin iki dudağı arasında olmadığını fark edebilse, ben de varım diyebilse, o hayat ona kim bilir neler verir.

Bunları başaran, her türlü çaresizliğe rağmen kendi ayakları üzerinde durmayı öğrenen pek çok kadın var ülkemizde. Bir kadın kendine güveniyor ve gücünü keşfedebiliyorsa, o kadınların evlilikleri de daha iyi gidiyor, o evlerde yetişen çocuklar da doğru örnekleri görerek, öğrenerek büyüyorlar.

Umarım Saliha da bir gün kendini keşfeder, çocuklarına sahip çıkar ve kendi yaşadığı çaresizliği çocuklarına da yaşatmaz.

Süheyla terk edilmekten çok korkuyor

Bir de Süheyla'nın hikâyesi var paylaşacağım. Onun hikâyesinden de herkes kendine ait bir şeyler bulacaktır, diye düşünüyorum:

Süheyla yirmili yaşlarda bir genç kız. Üniversiteyi yeni bitirmiş. Ancak gönül ilişkilerinde bir türlü aradığını bulamamış. İlişkilerini ya çabucak kendisi bitirmiş ya da çok sevdiği ve çok bağlandığı erkek arkadaşları tarafından terk edilmiş.

O gün klinikte yaşlı gözlerle şöyle başladı söze:

"Erkek arkadaşlarımın hepsi de terk etti beni. Son arkadaşım Tolga da güya çok seviyordu beni. Ona öyle inanmıştım ki... İlk tanıştığımız günler beni günde en az on kere arar, nerede olduğumu, ne yaptığımı, o gün dışarı çıkıp çıkmayacağımı sorar, hemen her gün beni mutlaka görmek ister, bu da yetmezmiş gibi mesaj üstüne mesaj atardı.

O zamanlar öyle mutluydum ki... Nihayet şansım dönmüş, Tolga gibi beni çok seven ve her şeyimi düşünen bir erkek arkadaşım olmuştu.

Birkaç ay içinde arkadaşlığımız ilerledi ve artık evlenmeyi düşünür olduk. İşte Tolga'nın annesi tam da o sırada hastalandı. Çok üzüldü çocuk. Tabii ben de çok üzüldüm. Sık sık arayıp annesinin durumunu sordum ama Tolga artık beni eskisi gibi arayıp sormaz oldu. Önce annesiyle ilgileniyor, nasıl olsa arar dedim ama olmadı. İçime bir kurt düştü. Acaba başkasını buldu da bana yalan mı söylüyor dedim. Durumu araştırdım. Gerçekten de hastaymış annesi."

"Demek araştırdın!"

"Araştırdım tabii... İşte o ara ben aradıkça, Tolga konuşmayı kısa kesiyor, ben seni sonra ararım deyip kapatıyordu. Geceleri bunu düşünmekten uyuyamaz oldum. Gece yarılarına kadar ondan bir mesaj, bir telefon beklemeye başladım. O aramadıkça iyice sinirlerim bozuldu. Başladım ben aramaya. Ama galiba biraz fazla üzerine gittim. Telefonu açmazsa bu sefer de destan gibi mesajlar yazdım. Beni ihmal ettiği için çokça da sitem ettim."

"Çok sevdiğin birini kendinden uzaklaştırmanın en kestirme yolu önce üzerine gitmek, sonra da bol bol sitem etmek. Sen ikisini de yapmış gibi görünüyorsun."

"Ama beni çok kızdırdı. Zaten sonra da tamamen koptu benden. Yani bir kere daha terk edildim. Beni gerçekten sevse böyle mi yapardı? Daha önceki ilişkilerimde de hep böyle oldu. Ben her önüne gelenle hemen ilişki yaşayan biri değilim zaten. Bu işlerden çok canım yandığı için kırk kere düşünmeden kimseyle arkadaşlık etmem. Beni zor ikna ettikleri için baştan her şey çok iyi gidiyor. Ben de karşımdakinin bana olan ilgisine, sevgisine güvenmeden onlara bağlanmamak için biraz uzak duruyorum. Sonra ne oluyorsa, her şey tepetaklak oluyor ve ilişki bitiyor. Neden hep böyle oluyor, anlamıyorum."

"Sen hep aynı şeyleri yaparak farklı bir sonuç mu bekliyorsun?"

"Kadir kıymet bilmiyor hocam erkekler. Madem bırakıp gideceksin, ne diye peşimden koşuyorsun? İstiyorum ki beni hiç ihmal etmesin çünkü ben onları hiç ihmal etmiyorum. İki elim kanda olsa sık sık arıyor ya da ona güzel şeyler yazıyorum. İnsan yaptığının karşılığını bekliyor. Ben onları sevdikçe kaçıyor hepsi. Ama benim tırnağım etmeyen kızlara bayılıyorlar.

Ne yani, sevmek suç mu? Benim tek suçum onları sevmek mi? İnsan sevdiğini arayıp sormaz mı? Ben arayınca bir de utanmadan, 'Sabah konuştuk ya' diyor. Hani beni görmeden duramıyordun, sesimi duymadan yapamıyordun. Sana bu kadar mesaj atmışım, sen de bir iki güzel cümle yazıversen ölür müsün?"

Haksızlığa uğradığından nasıl da emin. Anlatırken mavi gözlerinden boncuk boncuk yaşlar dökülüyor yanaklarına. Benim söylediklerim hiç ilgisini çekmiyor. O şimdilik sadece kendi iç sesini dinliyor. Bu sorunun altından muhtemelen terk edilme korkuları ve bağlanma sorunu çıkacak. Geçmişinde ne yaşadı ki bunlar Süheyla'yı bu denli korkutuyor.

"Biraz çocukluğundan, ailenden bahsetsene Süheyla?"

"Oralarda bir şey yok hocam. Sorunu oralarda arayacaksanız boş yere aramayın. Döven söven olmadı bizi. Babam özel bir şirkette çalışıyordu. Cumartesi pazarı bile yoktu adamcağızın. Kazandığını eve getirir, annemin eline verirdi. İçkisi kumarı filan da yoktu."

Demek içkisi kumarı yoktu!

"Zaten akşamları eve yorgun gelir, yemeği yiyince biraz televizyona bakar, erkenden de yatardı. Evin her türlü sorumluluğu annemdeydi. Annem ev hanımıydı. Elinden her iş gelirdi. Ailesi zamanında okutmak istemiş ama annem okumamış. Babamla da isteyerek evlenmiş. Ailesine çok düşkündü. Hele bir alkolik dayımız vardı. Annem bizden çok onunla uğraştı. Babamı da en çok dayımı bildiğinden beğenmiş. Dayım çok üzdü annemi. İki evlilik yaptı, sonuncusuyla da evlenemeden meyhane köşelerinde öldü gitti ama inanın herkesi o kadar bıktırdı ki, anneannem bile onun ölümüne üzülemedi. Üç kızdan sonra doğunca dayımı çok şımartmışlar. Herkes çok düşkündü dayıma. Bu kadar yüz verirseniz olacağı bu zaten. Annem en büyükleri olduğu için hepsine koşturdu kadıncağız ama kıymetini bilen olmadı. O da ayrı."

"Nasıl bir kadındı annen, Süheyla?"

"Mutsuzdu hocam. Nasıl mutlu olsun ki... Evdeki çocuklarına mı baksın, ondan hâlâ hizmet bekleyen ailesine mi?"

Demek anne kendi ailesiyle uğraşmaktan çocuklarına pek fazla vakit ayıramadı. Duygusal ihmal var yani... Ama yoğun korkular için bu yetmez. Çoğu zaman altından daha büyük travmalar çıkar.

"Kaç kardeştiniz Süheyla?"

"Üç, ben ortancayım. Ben bir yaşındayken annem yine hamile kalmış. İki küçük çocuğu var zaten, hemen bir çocuk daha doğurmak istememiş. Kürtaj yaptırsa çok para. Kendi düşürmeye kalkmış ama az daha ölüyormuş. Çok kanaması olunca hemen hastaneye kaldırmışlar. Epeyce yatmış hastanede. Zor kurtarmış doktorlar. Allah yardım etmiş de annem ölmemiş, biz de öksüz kalmamışız. Bir aydan fazla yatmış hastanede, iki kere ameliyat etmişler."

İşte şimdi buldum aradığımı. Bir yaşında bir çocuk için annenin aniden ortadan kaybolması travmaların en büyüğüdür. Sorunu çocukluğumda aramayın demişti ama biz bilsek de bilmesek de sorunlarımızın çoğu bize geçmişimizin mirasıdır. Demek bir yaşlarında anne aniden hastaneye yattı, yani sahibi aniden terk etti onu.

Çocuk aklı ölümü bile sebepten saymaz. Anne yani sahibi bir anda onu terk ediyorsa bundan öyle çok korkar ki, bu korku aradan yıllar geçse de unutulmaz izler bırakır o çocukta. İnsan yavrusu sahipsiz hayatta kalamayacağını içten içe çok iyi bilir.

"Size kim bakmış o zaman?"

"Babam anneanneme gel de bizde bak çocuklara demiş ama o dayım yüzünden bize gelememiş. Öyle olunca da bizi oraya götürmüşler ama işin kötüsü ben o ara çok hastalanmışım. Bir ishal başlamış bende, bir türlü durduramamışlar. Bir yandan da ne yesem kusuyormuşum. Çok zayıflamış, bir deri, bir kemik kalmışım. Anneannem de korkmuş, çocuklara bakamadın derler diye. Dayım zaten başının belası. İşte o ara beni de bir hafta hastaneye yatırmış, serum filan takmışlar, iğneler yapmışlar."

"Hastanede kim bakmış sana?"

"Doktorlar."

"Aileden kim varmış başında?"

"Bilmem, arada bir anneannem gelip gitmiştir belki."

Daha ne olsun, diyorum içimden. Annesiz kaldığın yetmezmiş gibi, bir de hastane ortamında yapayalnız kalmışsın. O yaşta çocuklar aniden annesiz kalırlarsa önce beden direnci aniden düşer, çocuk yemeden içmeden kesilir, hızla kilo kaybeder, büyüme durur. Hatta bu yüzden hayatını kaybedenler bile olur.

Yabancı bir ortam ve anne ortalarda yok! Çocuğun o dönemde yaşadığı korku, güvensizlik, önce o çocuğu çok huysuz yapar. Sürekli ağlar, uykuları bozulur. Annenin geri dönmesi geciktikçe bu sefer beden tepki vermeye başlar. Süheyla belli ki o dönem hastanelik olacak kadar korkmuş.

Çocuğa çok uzun gelen bu ayrılıktan sonra anne gelse bile çocuk artık o eski çocuk değildir. Önce ağlar, mızmızlanır, sonra bedeni hastalanır, en sonunda ağlaması da durur, sesi soluğu kesilir. Bütün duyguları buzdolabına konmuş gibi donar kalır çocuğun.

Anne geri döndüğünde buna sevinmeyi bile bilmez. Ondan uzak durur ve bu terk edilmeyi hiç unutmaz. Artık ne anneye güveni kalmıştır ne de hayata. İsyan edecek kadar bile umudu kalmamıştır.

Bazı anneler, geri döndüklerinde çocuklarına gösterdikleri ilgi, sevgi, şefkatle bunun üstesinden gelmeyi başarır. Çocuğunu sadece sevmekle kalmaz ona ne kadar değer verdiğini, mecbur kalmadıkça onu asla terk etmeyeceğini çocuğuna hissettirir.

Dikkatle bakıyorum ona. Süheyla güzel yüzlü, ince, narin, ufak tefek bir kız. Belki de bu yüzden boyu bosu bile yaşıtlarından geri kaldı. Anne zaten ölümden dönüp öyle gelmiş eve. Çocuklarına ne kadar bakabildi acaba? Süheyla anlatmaya devam ediyor.

"Annem farkında değildi belki ama hep yalnızdı o. Her şey tek taraflıydı. O ailesine canını verirdi. Karşılığını gördü mü derseniz, hiç görmedi. Sonunda hastalandı kadıncağız. Uzun tedavilerden sonra şimdi biraz daha iyi ama ben onun şöyle içinden gelerek güldüğünü hiç görmedim."

O zaman Süheyla'nın da hiç gülmediğini fark ediyorum. Gözleri bile yorgun ve hüzünlü bakıyor. Sanki yirmili yaşlarında genç birinin değil de çok daha yaşlı bir kadınının bakışları var onda. O da mutsuz! Doğduğu evde mutlu olmayı, gülmeyi öğrenmemiş ki...

"Annenle ilişkileriniz nasıldır Süheyla?"

"İyidir. Çok fedakârdır annem. Sonradan oğlan kardeşimi doğurdu. Madem doğuracaktın, o zaman doğursaydın ya. Hem sen hastalanmazdın, hem de ben... Kısmet işte. Aslında o da tıpkı annesi gibi oğluna düşkündür. Belki de en küçük olduğundan. Hâlâ da öyle sayılır."

İhmal edilmiş, duygusal açlığı olan bir kız Süheyla... Döven söveni biliriz de, bizim duygusal ihtiyaçlarımızı doyurmayanları işte böyle bilmeyiz.

"Senin bu sorunlarından haberi var mı annenin?"

"Annemin mi? Yok canım... Kadının derdi başından aşmış, bir de benimle mi uğraşsın?"

"Ama o senin annen. Bunları hiç anlatmaz mısın ona?"

"Yok, anlatmam. Ablam bilir biraz. O da evlendi zaten. Arkadaşlarıma biraz anlatayım dedim, sonra ondan da vazgeçtim. Beceriksiz der, aşağılarlar beni. Onlardan neyim eksik bilmiyorum ki... Neden hepsi terk ediyor beni? İnsan sevdiğinden bu kadar kolay vazgeçer mi, arkasını dönüp bırakır gider mi hocam?"

"Yok, bırakıp gitmez. Sen rahat dursan onlar da gitmeyecek zaten ama seni terk etmelerinden o kadar çok korkuyorsun ki..."

"Kim korkmaz ki bundan?"

"Arkadaşların da senin kadar korkuyor mu terk edilmekten?"

"Yoo! Zaten onlarda öyle olmuyor ki... Zamk gibi yapışıyor oğlanlar."

"Senin gibi yani..."

"Benim gibi mi?"

"Hı hı... Neden böyle yaptığını hiç düşündün mü?"

Sanırım hikâyeyi okurken sizler de Süheyla'nın nerede yanlış yaptığını anladınız. Belli ki Tolga o ara annesiyle ilgileniyor. Üzgün ve endişeli... Kız arkadaşından da doğal olarak biraz destek ve anlayış bekliyor. Oysa bizim kızımızın bütün dikkati başka yerde. Tolga onu aradı mı, aramadı mı? Tolga onu hâlâ ilk günkü gibi seviyor mu, sevmiyor mu; özlüyor mu, özlemiyor mu? Yoksa bundan öncekiler gibi ya da annesi gibi onlar da Süheyla'yı terk edecek mi, etmeyecek mi?

İnsan ilişkilerinde denge çok önemlidir. Denge yani iki tarafın birbirine gösterdiği ilgi, sevgi, değer biraz denk olmalı. Bu durum sadece aşk ilişkilerinde değil, arkadaş, konu komşu, iş arkadaşlarıyla hatta anne babalarımız, kardeşlerimiz, çocuklarımızla aramızdaki ilişkilerde bile çok önemlidir. Yani aşkta bile iktidar kanunları geçerlidir.

Biri size, sizin ona gösterdiğinizden daha fazla ilgi gösteriyor, üzerinize düşüyorsa, bu durum önce hoşunuza gider. Kendinizi önemli ve değerli hissedersiniz. Ancak bu durum artarak devam ediyorsa yavaş yavaş geri çekilmeye başlarsınız. O sizin üzerinize düştükçe sizin ona verdiğiniz değer azalır. Artık ona karşı daha rahat davranır, kimseye etmediğiniz sitemi ona eder, kimseden istemediğiniz yardımı ondan ister, nezaketinizi ve saygınızı ona karşı daha kolay bozar ve kimseyi olmasa da onu kolayca ihmal edersiniz.

Neden? Çünkü o nasıl olsa sizi seviyor, size düşkün, ne yaparsanız yapın o sizi idare eder, sizden vazgeçmez yani bu suçun bir cezası, bir karşılığı yoktur. İşte böyle düşünürsünüz.

Bu hikâyede bir başka soru daha geliyor akla. Bazı insanlar ilişkilerdeki dengeyi hiç bozmazken bazıları ilişkinin yara alması ya da kopmasından neden bu kadar korkuyor. Bu dengeyi bozan da zaten o korku değil mi?

Eğer siz de terk edilmekten çok korkuyor, bu yüzden karşı tarafa çok taviz veriyorsanız, bu korkunun temellerini geçmişinizde arayın. Bir an önce bulun ve yüzleşin onunla. Ne siz o eski küçük, çaresiz bebeksiniz, ne de hayat o zamanki hayat.

Sonra da bir dedektif gibi izleyin kendinizi. Nerede ne yapıyor, kime nasıl davranıyor ve bunu neden yapıyorsunuz. Duygularınızın sesine kulak verin. Konuşun onlarla. Korkularınızı görmezden gelmek yerine onları önemseyin. Göreceksiniz, bir gün korkularınız sizi görecek, siz de korkularınızı.

İnsan gördüğü, bildiği şeyden korkmaz ki...

Duygusal ihmal

Her birimiz bu dünyaya zihnimize yerleştirilmiş çok donanımlı bir kayıt cihazıyla geliyoruz. Öyle bir cihaz ki, sadece sesleri, resimleri, olayları değil, içine doğduğumuz evde yaşanan her şeyi, evdeki herkesin hissettiği tüm duyguları da kaydediyor. Çünkü o küçük bebek bu dünyayı tanımaya, onun dilini öğrenmeye çalışıyor.

Bir çocuk dünyaya geldiğinde onun en iyi tanıdığı duygu korkudur, çünkü bir sahibi olmazsa hayatta kalamayacağını bilir ve önceliği hep sahibine verir. Hep onu arar gözleri, önce onu tanır. İçine düştüğü korkudan bir tek sahibi yani annesi kurtarabilir onu. Anneler çocuklarını severek, okşayarak, her ihtiyacını fark edip yerine getirerek, ona güven vererek yapar bunu.

Böylece o çocuklar annelerinin şefkati ve sıcaklığıyla yüzlerinde sevimli bir gülümsemeyle uykuya dalarlar. Korku artık yerini derin bir huzura bırakmıştır.

Bazı bebekler huzursuzdur. Her ihtiyacı karşılanmış da olsa bir türlü rahatlayamaz, bir yerlerini koparıyorlarmış gibi bağırır durur. Karnı tok, altı temiz olsa da korku duygusundan bir türlü kurtulamamıştır. Yani hep ölümle burun buruna hisseder kendini.

Neden mi? Çünkü anne onun pek çok ihtiyacını karşılasa da, bebeğine o güveni verememiştir. "Korkma, bak ben varım, yanındayım, seni seviyorum, biraz uzaklaşsam da seni hiç unutmuyorum, bak ben de huzurluyum, ben de korkmuyorum" diyememiştir. Gördüğünüz gibi, bunun için annenin de kendini güvende hissetmesi ve huzurlu olması gerekir.

O çocukların zihinlerini açıp oradaki kayıt cihazına bakma şansımız olsa, bandın bazı yerlerinde kocaman boşluklar çarpar gözümüze. Duygusal boşluk dediğimiz, sonradan doldurulması pek de mümkün olmayan o boşlukları yetişkin olduklarında bile ömür boyu içlerinde hisseder o çocuklar. Onlar, zengin ya da yoksul ailelerin ömür boyu duygusal olarak yoksul bırakılmış çocuklarıdır.

Bu çocuklar büyüyüp yetişkin olduklarında bu duruma kendileri de bir anlam veremez. Mutlu olmak, hayatın tadını çıkarmak için her şey tamam gibi görünür ama o boşluk hissi bir türlü bırakmaz peşlerini. O da diğer insanlar gibi sevmek, sevilmek, sevinmek, heyecanlanmak, iyi ki yaşıyorum demek, müzikle birlikte coşmak, her şeyi derinden hissetmek ister.

Mantık her şeyinin tamam olduğunu, herkes gibi kendisinin de iyi bir şeyler hissetmesi gerektiğini bilir ama hissedemez. Sanki bir şeyler eksiktir onda.

Bu eksikliği kimi sürekli bir şeyler yiyerek giderir. Ne yediği önemli değildir, hatta bazen tadını sevdiği şeyleri yiyerek içindeki boşluğun dolacağını sanır. O hırsla saldırır yemeklere. Ağzına aldığı her lokma boğazından geçerken hem bir ümit vardır içinde, hem de nefret. Karnı doyunca, midesi şişince ruhunda da aynı doyumu hissedebilmek için yer durur. Artık yemek yiyemeyecek hale geldiğinde içindeki o sıkıntının ve boşluğun devam ettiğini görmek onu iyice çileden çıkarır.

Sıra, yediklerinden kurtulmaya gelmiştir. Büyük bir suçluluk duygusu kaplar içini. Aynaya bakmaya korkar, adeta kendinden iğrenir. Kusmak, her birimiz için kötü bir şeydir. Özellikle bedenin böyle bir ihtiyacı yokken kusabilmek çok ıstırap verir insana ama böyleleri çektikleri bu ıstıraptan memnundur. İşledikleri suçun cezasını çekmenin huzuru vardır içlerinde.

Bu işler genellikle geceleri, en çok da yalnız oldukları zaman yapılır. Bunu her yaptıklarında, bir daha yememeye söz verirler kendilerine ama bu sözler hiç tutulmaz.

Bir süre sonra tek sorun aldıkları kilolar haline gelir. Çoğu kilo almamak için yedikten hemen sonra, yani vücut yenenleri hiç kullanamadan kusmak ister ama yine de çoğu kilo almaktan kurtulamaz.

Son zamanlarda hepinizin bildiği gibi midelere takılan kelepçeler girdi devreye. Böylece mide çok küçüldüğünden artık isteseler de yemek yiyemiyorlar. Bir yandan midenin yokluğu, bir yandan hızla kilo veren bedenin içine girdiği stres onları çok zorlasa da, kilo veriyor olmak bir süre onları rahatlatıyor. Ancak asıl sorun yani duygusal boşluk bir kenarda hep bekliyor.

Mualla geliyor aklıma; anne babasıyla birlikte gelmişti. Yaşı henüz yirmi bile olmamış genç bir kızdı. Daha o konuşmaya başlamadan baba başladı anlatmaya.

"Doktor hanım, biz dar gelirli bir aileyiz. Üç çocuğumuz var. Hamdolsun diğer ikisinin bir şeyi yok ama bu kız, biraz daha böyle devam ederse bizi iflas ettirecek. Çocukluğunda bir şeyi yoktu ama büyüdükçe başımıza iş açtı. Bu kız geceleri yemek yiyor. Çok şükür akşamları bizim hanım her çeşit yemeği koyar önümüze. Az parayla ne yapılabilirse yapar, hiçbirimizi aç koymaz. Her hafta perşembe günleri pazara da gider. Meyve sebze ne lazımsa alır, dolabı doldurur.

Gece olunca hepimiz yatarız, bizim kız şeytan gibi sessizce kalkar, dolapta ne var, ne yok mideye indirir. Hayır yani, açlıktan yese, içim yanmaz. Yer yer, sonra da banyoya gidip kusar. Yediği bir işe yarasa neyse, kızımdır, afiyet olsun ama öyle de değil. Hepimizin rızkını patlayana kadar yiyip sonra da öğürerek kusmak neyin nesi, biz de anlayamadık. Artık eve bir şey alacağız diye korkuyoruz. Aldığımız sabaha kalmıyor, bizim kız yiyip bitiriyor. Yediği yüzüne gelse bari... O da yok. Baksanıza haline, çöp gibi..."

O gün, o babaya kızının ruhsal sorunları nedeniyle böyle yaptığını bir türlü anlatamamış, o kızcağızın haline de çok üzülmüştüm. Bu işler hemen verilecek bir ilaçla filan düzelmez ki... Uzun ve ciddi terapiler gerekir ama onlar benden bu hastalığı hemen iyileştirmemi istiyorlardı. Keşke elimden gelse de istediklerini yapabilseydim.

Duygusal boşluk adını verdiğimiz durum nedeniyle kimi de çok alışveriş yapar. Halk arasında buna "Alışveriş hastalığı" derler. Gerekli gereksiz, ne bulursa alır. Aldıkları genellikle kişisel eşyalardır. Bol bol elbise, bluz, pantolon, etek, kazak, kolye, küpe, bilezik, yüzük, eşarp, mont...

Eskiden insanlar çarşıya alışverişe giderken, "Eksik tamamlamaya gidiyoruz" derdi. Aslında onlar da eksik tamamlıyor. Kendilerine bolca bir şeyler alarak, ruhlarındaki eksiği tamamlamak amaçları.

Yine böyle bir hastam vardı. Elmas. Kendi anlatırdı evdeki dolapların halini. Üzerinde etiketiyle dolapta asılı duran, hiç giyilmemiş yüzlerce giysi ve takı... Kendisi de çalışırdı, bir geliri vardı ama aldığı para kendine yetmiyor, kredi kartları şiştikçe şişiyordu. Çok borçlanmıştı ve bunları eşinden gizliyordu.

"İçime bir sıkıntı geliyor, öğlen tatillerinde ya da iş çıkışı kendimi hemen atıyorum çarşıya. Her gördüğüm mağazaya giriyorum. Aldıkça sanki bir rahatlık geliyor üzerime. Satış elemanları artık tanıdı beni. Görür görmez geliyorlar yanıma. Mağazaya yeni gelen ne varsa diziyorlar önüme. Biliyorlar alacağımı. Hiç düşünmeden başlıyorum almaya. Bütün gün asık suratla gezen, pek kimseyle konuşmayan ben, orada aniden güler yüzlü biri oluyorum. Çocuk gibi seviniyorum ama aldıklarımı giysem bari.

Sıra kasaya gidip para ödemeye gelince rengim değişiyor. Bir sürü kart var çantamda. Çoğunun limiti dolmuş. Artık alıştılar bana. Kartları veriyorum ellerine, sırayla deniyorlar ve sonunda birinden alıyorlar parayı. Paketleri alıp da dükkândan çıkarken biri görecek diye ödüm kopuyor. Utanıyorum... Eve gelmek ayrı stres. Eğer kocam benden önce eve gelmişse, içeri paketlerle girmiyorum. Alt komşuma bırakıyorum. Eğer kazara eşim beni elimde paketlerle görürse evde kıyamet kopuyor. Dolapları gördükçe adam deliriyor.

Her sefer eve gelirken bu son diyorum, bir daha bir şey almayacağım. Zaten ömür boyu alışveriş yapmasam, bu aldıklarım ömrümün sonuna kadar bol bol yeter bana. Ama bir türlü sözümü tutamadım. Böyle giderse adam beni boşar. Bir çocukla ne yaparım, bilmiyorum."

Böyle anlatmıştı genç kadın bana derdini. Annesi onu nasıl doyuramadıysa, o da çocuğuna aynı şeyi yapıyordu. Onu yediriyor, içiriyor, giydiriyor, oyuncak alıyor ama onu bir türlü bağrına basamıyor, çocuğuna, ihtiyacı olan sevgiyi ve güveni veremiyordu.

Kimi bir türlü kendine beğendiremediği kendini mükemmel yapabilmek için sürekli güzellik enstitülerinin, estetik cerrahların kapısını aşındırırken kimi de hayattan sürekli şikâyet ederek bu boşluğu doldurmaya çalışır.

Kimi ise çareyi uyuşturucularda arar. Madde kullanan insanların büyük bir çoğunluğu, içlerinde hep hissettikleri ama neye yoracaklarını bilmedikleri bu boşluğu doldurmak için girer bu yola. Kendine güvenen, kendi ayakları üzerinde durabilen, sosyal ilişkilerde başarılı, seven ve sevilen insanların arasından çoğu zaman çıkmaz bu uyuşturucu müptelaları.

Bir türkü vardı, babaannem söylerdi:

Neyleyim sarayı, neyleyim köşkü,
İçinde salınan yâr olmayınca...

Aileleri tarafından en iyi şekilde bakılmış, hatta herkesten daha özenle büyütülmüş de olsa duygusal olarak yalnız bırakılmış, sevgi, şefkat, önemsenme, sahiplenilme ihtiyacı bir türlü doyurulmamış...

Bir gün olsun doğdukları evde değerli hissettirilmemiş, sözü dinlenmemiş, onunla sohbet edilmemiş, onunla birlikte hayat paylaşılmamış, varlığı fark edilmemiş...

Korkularını, hayallerini, sevinçlerini, endişelerini anlatmasına izin verilmemiş...

Sürekli aşağılanmış, utandırılmış, çocuğun aradığı onay verilmemiş...

Koşulsuz sevgi ve şefkat isteği doyurulmamış...

Yani duygusal paylaşımı aileleriyle yaşayamamış, duygusal ihmale uğramış çocuklara türküdeki YÂR bir türlü gelmez.

Gerçek olan hayaller

Bana anlatılan hayat hikâyelerinin çoğu acı dolu ama arada bir güzel hikâyeler de dinliyorum. Özden Hanım'ın hikâyesi de işte onlardan biri.

Bir kadının, içinde bulunduğu tüm olumsuz koşullara rağmen okuyup bir meslek sahibi olması, kendi ayakları üzerinde durabilmesi, hayata güvenle bakabilmesi ne güzel, değil mi?

Bu mektubu bana Özden Hanım yazmış. Mektubun bazı yerlerine de kırmızı kalemle çiçek resimleri yapmış yani yazarken bile çok özenmiş.

Çocukken biz de böyle süslerdik defterlerimizi. Kuru boyalarla kenardaki çizginin içine çiçekler, böcekler, kediler, köpekler çizerdik. Sonra o kuru boyaların çoğu etrafa yayılır, karşı sayfayı da kirletirdi ama yine de o resimleri yapmaktan hiç vazgeçmezdik.

En kötü resimler benim defterimdekiler olurdu. Arkadaşlarımın çizdiklerine hayranlıkla bakar, ben de öyle çizebileyim diye çok uğraşır ama yine de bir türlü beceremezdim. Aradan bunca zaman geçti, hâlâ yazım bile kötüdür.

Bakalım Özden Hanım neler yazmış bana.

"Her çocuğa sorulan sorudur: 'Büyüyünce ne olacaksın?' Kimi heyecanla doktor der boynunda steteskop ve beyaz önlüğüyle kendini düşlerken, kimisi öğretmen olmak istediğini söyler gururlanarak. Bir yandan da kendini tahta önünde ders anlatırken, öğrencilerine sorular sorarken hayal edip gülümser. Kimi hemşire, kimi itfaiyeci, kimi polis, kimi de pilot olmak istediğini söyleyip gözlerinin içi gülerek o günlerin hayalini kurar.

Benim çocukluğumda en nefret ettiğim soru ise tam da buydu: 'Büyüyünce ne olacaksın?'

Bana bu soru sorulduğunda öyle üzülür öyle mahzunlaşırdım ki anlatamam.

Öğretmen olmak istediğimi söylerdim üzgün bir ses tonuyla. Yutkunurdum...

Oysa bilirdim öğretmen olamayacağımı. Nasıl olabilirdim ki...

Daha okula başlarken, 'Beşinci sınıftan sonra okumak yok' sözüyle okula başlayan bir kız çocuğu nasıl öğretmen olabilir, bunu nasıl hayal edebilirdi ki...

Biz üç kardeşiz. Bir erkek (en büyüğümüz), iki kız.

Annem de zamanında okumak istemiş ama okutmamışlar. 16 yaşında evlenmiş babamla. Aslında babam cahil bir insan değildi. Kamuda görevli bir memurdu.

O günler aklıma geldikçe en çok babamın abime, 'Oğlum oku, gerekirse sırtımdaki ceketimi satar seni okuturum' sözü yankılanıyor.

Biz kızlar senin çocuğun değil miyiz? Bizim erkek kardeşimizden ne farkımız var? O akıllı da biz aptal mıyız? Onun için ceketini bile satmaya razısın da, bize niye dönüp sormuyorsun, 'Kızım siz de okumak istiyor musunuz?' diye...

Erkek evlat okuma özgürlüğüne sahip ama kız çocuğu okuyamaz. Okursa erkeklerle gezer, sevgilisi olur, ahlaksız olur. Hem sonra el ne der, halamlar ne der... Büyük suçlu olur babam onların nezdinde.

Okumak sanki günahtı.

Bizim küçük yaşta başımızı kapatıp evde koca beklememiz gerekirdi.

Ben 1974 doğumluyum. İlkokuldan mezun olduktan sonra Kuran kursuna gönderdiler beni, daha sonra ise el nakışı kursunu bitirdim. Fakat içimde dinmeyen bir yara olarak kaldı öğretmenlik. Çok genç yaşta da evlendim ve arka arkaya iki çocuğum oldu. Biri oğlan, biri kız.

Çocuklarım arasında eşitliği sağlamaya hep gayret ettim, zamanında acısını çok çektiğim için kız erkek ayrımı hiç yapmadım.

Otuzlu yaşlara geldiğimde bir arkadaşım ortaokula kaydını yaptırmış Açıköğretim'den. Onu görünce yıllardır bastırdığım okuma isteğim tekrar canlandı. Günlerce düşündüm, taşındım, sonra da eşimin karşısına geçtim, 'Ben kaldığım yerden devam etmek, okumak istiyorum. Açık öğretime kayıt yaptıracağım' dedim. Eşim demez mi, 'Madem istiyorsun, hemen yaptır kaydını, oku' diye...

Açık söylemek gerekirse ondan böyle bir destek beklemiyordum. Dünyalar benim oldu. Zaten daha sonra da desteğini hiç esirgemedi. Allah razı olsun eşimden.

Tabii bu sefer de çevreden, 'Bu yaştan sonra okuyup ne olacaksın, neye lazım?' vs. gibi birçok söz duydum. Hiçbirine aldırmadım. Daha da ilginç olanı zamanında bu hakkımızı bize vermeyen babam ve annem de destekliyordu beni. Meğer sonradan onlar da bizi okutmadıklarına çok pişman olmuşlar.

Kızımla birlikte, aynı yıl ortaokula başladık. O okula gidiyor, ben de evde Açıköğretim'in derslerini dinliyorum. Beraber ödev yaptığımız da çok oldu. Kim daha yüksek not alacak diye yarışırdık kızımla. Öyle böyle derken önce ortaokulu, sonra da liseyi bitirdim.

Artık evde iş güç, yemek faslı biter bitmez oturuyorum derslerin başına. Bazen kızım bana yardımcı oluyor, bazen de ben ona, derken lise de bitti.

Ben böyle hız kesmeden her yıl sınıfı geçip seneye hazırlanırken çevremdeki arkadaşlarım ve konu komşu çok güldü halime. 'Sen deli misin bu saatten sonra kendini sıkıntıya sokuyorsun' diyen de oldu, 'Aferin' diyen de. Aferin diyenlerin çoğu bana bakıp gaza geldi, yarım bıraktıkları okulları onlar da bitirdi.

Liseyi bitirdiğimiz yıl, kızım da ben de çok heyecanlıydık. Oğlum o sıralar çoktan üniversiteye girmişti ve biz kızımla o yıl üniversite sınavlarına girecektik. Yazın gittiğimiz tatilde bile test kitapları elimizden düşmedi. Sonunda ana-kız el ele tutuşup üniversite sınavlarına beraber girdik.

Allah'ın hikmeti işte... Herkese nasip olmaz böyle bir şey. Heyecanla bekledik sonuçları. Ve müjdeli haber geldi sonunda. İkimiz de istediğimiz yeri kazanmıştık. Kızım da benim gibi öğretmen olmak istiyordu.

Benim sorumluluklarım ağır bastığı için uzaktan eğitimi tercih ettim. Eskişehir Anadolu Üniversitesi'ne kaydımı yaptırdım ve onur öğrencisi olarak geçen yıl oradan mezun oldum.

Artık üniversite mezunuydum. Bir süre buna inanamadım. Sevinçten içim içime sığmaz oldu. Durup dururken, olur olmaz her şeye güler oldum. Oysa eskiden canım hiç gülmek istemezdi.

Giyimime, kuşamıma, ilişkilerime, evde yaptığım yemeğe bile daha çok özen gösterdiğimi fark ettim.

Sanki içinde yaşadığım hayatın bir anda rengi değişmişti. Artık ben de kendimle gurur duyuyordum. Sadece ben mi, bütün ailem her yerde beni anlatıyor, hepsi benimle gurur duyuyordu.

Hemen ardından ücretli öğretmenlik için başvuru yaptım. Başvurum kabul edildi ve evimin yakınında bir Anadolu Lisesi'nde öğretmen olarak görevlendirildim.

İnsanın hayallerinin gerçek olması meğer ne müthiş bir duyguymuş. İşe başlamadan önce 2-3 gün geceleri uyku tutmadı. Arada bir gözümden yaşlar aktığı bile oldu. Sonunda işe başladım.

Ve ben işte o tahtanın önündeydim ve öğrencilerime ders anlatıyordum.

Rabbim sesimi duymuş, emeklerimin karşılığını vermişti. Ben bile, iki çocuk sahibi bir kadın olarak bunu yapabildiysem, başkaları neden yapmasın?

Benim hikâyem, umutsuzlara umut olur belki diye size yazıyorum, benim sevgili Gülseren Hocam..."

Ben de buradan Özden Hanım'ı gönülden kutluyorum. Kendisiyle ne kadar gurur duysa az.

Hayatın içinde bu ve buna benzer örnekleri ben de çok görüyorum.

Üniversiteye giriş sınav sonuçları dikkatinizi çekiyor mu bilmiyorum. Kızlarımız hep daha başarılı. Eskiden yani benim daha yeni doktor olduğum günlerde hastanelerde doktorların çoğu erkek olurdu. Fakültedeki hocalarımızın da çoğu hep erkekti. Şimdi devran değişti.

Doktorlarımızın, psikologlarımızın, üniversite hocalarının, öğretmenlerin, avukatların, mimar ve mühendislerin ve ünlü sanatçıların, edebiyatçıların çoğu kadın. Bu kadar da değil...

Bankaya gidiyorsunuz, karşınızda kadınlar; postaneye, hastaneye, adliyeye, alışveriş merkezlerine derken nereye giderseniz gidin, karşınızda kadınlar... İşlerini iyi yapıyor kadınlarımız. Televizyonu açıyorsunuz, haberlerin de çoğunu kadınlar sunuyor, her programda, her filmde mutlaka kadınlar var. Sahnelerin çoğu yine kadınların.

Kadınlar artık evde oturmak, birine bağımlı olarak yaşamak istemiyor.

Onlar, "Anne de olurum, eş de... Ama yine de bir mesleğim olur, bilgim, görgüm olur, kendim çalışır ve hayatımı kazanırım" diyor.

Bir tek siyaset sahnesinde, özellikle bizim ülkemizde kadınlarımızı yeteri kadar göremiyoruz. Orada sayımız maalesef henüz çok az ama umarım yakın gelecekte orada da görürüz kadınlarımızı.

Peki, kadınlar neden bu kadar başarılı oluyor, bunu hiç düşündünüz mü?

Ne oldu da binlerce yıldır kapı arkalarından, evlerinin cumbalarından hayatı izleyen kadınlar bir anda dünyanın merkezi haline geldi? Onları bu kadar güçlü, azimli ve çalışkan yapan nedir?

Bu soruyu kendime çok sordum ve konuyu uzun uzun araştırdım. Dünya ve insanlık tarihine olan merakım da bu konuda bana çok destek oldu.

Hepinizin bildiği gibi "kadın kısmı, kız kısmı!" var olduğu günden beri fizik gücü erkeğinden daha zayıf olduğu için, o zamanın şartlarında hep ikinci de değil, üçüncü sınıf vatandaş olarak görülmüş. O zamanlar sıralama şöyleymiş; Erkekler, erkeklerin önemsediği hayvanlar ve sonra da kadınlar ile çocuklar...

Yukarıda yazdığım "kadın kısmı, kız kısmı!" sözünü burada biraz açıklamak istiyorum. Rahmetli anneannem sık kullanırdı bu sözü. Kız kısmı öyle yapmaz, böyle gülmez, şöyle oturmaz, böyle kalkmaz gibi... Biz kızlar sanki farklı bir ırk, farklı bir grup insandık. Erkeklerle eşit olmadığımız zaten baştan belliydi; ayrıca kız olmanın da kuralları vardı. Erkek istediği gibi gülebilir, gezebilir, giyinebilir ama kızların her konuda kurallara itaat etmesi gerekirdi.

Peki, ya etmezsen? Etmezsen, "kötü kız" olurdun. Kötü kız olmak ise bizim çocuk aklımızda reddedilmek, ayıplanmak, aşağılanmak, sevilmemek anlamına gelirdi. Biz kızlar da bütün bunlarla karşılaşmamak, hep iyi kız olmak için elimizden geleni yapardık.

Şimdi düşünüyorum da, anneannem hep iyi kız olmuş. Tüm kurallara uymuş, kız olmanın, kadın olmanın bedelini, yani cezasını fazlasıyla ödemiş. Hakkı da yenmiş, hayatı hep üzüntülerle, acılarla geçmiş ve sonunda iyi kız, iyi kadın olarak uzun süre kanserle mücadele edip 57 yaşında da ölmüş.

Onu kaybettiğimizde henüz 14-15 yaşlarındaydım. Memlekette yaşardı, senede bir onu ya görürdük ya görmezdik ama mahzun bakan yeşil gözleri daha dün gibi hatırımda. Nurlar içinde yatsın...

Kadınlarımız bugünlere gelebilmek, insan olduklarını kabul ettirebilmek için öyle uzun bir yoldan gelmişler ki, mücadele etmek, onların ruhuna işlemiş. Binlerce yıldır, tıpkı sürekli antrenman yapan sporcular gibi kondisyonları çok artmış.

Aslında erkek ve kadın arasında kas gücü dışında zekâ ve yetenek anlamında çok belirgin bir fark yoktur. Her iki cinsin de kendine özgü daha üstün, daha becerikli olduğu alanlar olsa da, erkek ve kadın bu anlamda eşittir. Kimse kimseden üstün değildir.

Bu dünya binlerce yıldır erkek dünyası olarak yaşandığı için, erkeklerin her konuda daha tecrübeli olduğunu kabul etmek gerekir. Ancak onlar kendilerini birinci sınıf insan olarak gördükleri için hayata belki de kadınlar kadar asılmıyorlar. Bu konuda kondisyonları kadınlar kadar yüksek değil. Şimdilerde kadının her alanda bu kadar başarılı olabilmesinin bir nedeni de bu işte.

Tecrübeye gelince; tecrübe de önemsendikçe daha hızlı kazanılır ve biz kadınlar her şeyi olduğu gibi bunu da çok ciddiye alıyoruz.

Önce kadın kendini keşfetti, sonra dünya kadını...

Karısını döve döve öldüren adam

Her gün eşleri ya da erkek arkadaşları tarafından öldürülen kadınlarla ilgili haberleri okumaktan, o kadınlar için üzülmekten yoruldum, hep birlikte yorulduk. Ne istiyorsunuz kadınlardan? Nedir sizi bu kadar acımasız ve vahşi yapan? Ne oldu size?

Bundan çok yıllar önce yani ben çocukken bu ülkede erkekler kadınlara yol verirken, otobüste onlar ayaktaysa kendi asla oturmazken, elindeki paketler ağırsa koşup alırken, düşerse kaldırırken, "Yardıma ihtiyacın var mı bacım?" derken, rahat giyinsinler diye paltolarını tutarken, yaptıkları yemeklere "Eline sağlık hanım" demeden yemezken, kadınları başlarında taşırken... Ne oldu size?

Aradan yıllar geçti, artık ülkemizde okula gitmek, her türlü eğitimi almak daha kolaylaştı. Kadın erkek, öğretmenlerimiz kızlı erkekli çocuklarımıza ışık oluyor. Hastanelerimizde kendimizi rahatlıkla kadın doktorlara emanet ediyor, onlara güveniyoruz. Kadın yargıç ve savcılarımız, kadın eczacılarımız, kadın mühendislerimiz, kadın müdürlerimiz, yöneticilerimiz, bankacılarımız, kadın avukatlarımız, muhasebecilerimiz, kadın pilotlarımız, şoförlerimiz, kadın girişimcilerimiz, bol bol kadın sanatçılarımız var. Türkiye Büyük Millet Meclisi'nde bizi temsil eden kadın milletvekillerimiz var.

İş hayatında da kadınlarımız çok başarılı. Onların kurdukları işyerlerinde binlerce kişi çalışıyor. Yurt dışına ihracat yapan, dış ülkelerde bizi temsil eden kadınlarımız bunlar.

Bugün ülkemizde iş hayatından kadınları çekiversek ne olur biliyor musunuz, hastaneler doktorsuz hemşiresiz, adliyeler hâkimsiz savcısız, avukatlık büroları avukatsız kalır. Her köşe başında önünüze çıkan eczaneler kapanır, inşaatlar mimarsız, mühendissiz ve pek çok kişi işsiz kalır.

Müzik susar, edebiyat susar, televizyonlar ne göstereceğini şaşırır, kütüphaneler kitapsız kalır.

Evdeki kadınlarımızı birkaç gün alıversek hepimiz aç kalırız, aç...

Neden kıymetini bilmiyoruz kadınlarımızın?

Hayatın rengi, tadı tuzu, heyecanı, sevinci, acısı, tatlısı, sesi soluğu, hayatın anlamı bile kadınlarla var.

Onlar sizin ananız, bacınız, yâriniz, eşiniz, dostunuz, arkadaşınız, çocuklarınızın da anası.

Kadınlarımızla omuz omuza yürümek varken, nedir sizin derdiniz?

Eskiden ama çok eskiden erkekler önden yürürdü, biz kadınlar arkasından. Şimdi kadınlarla omuz omuza yürümek zorunuza gitmesin. Biz kadınların, siz erkeklerin önüne geçmek gibi bir niyetimiz yok. Bizim amacımız ne önünüzde, ne de arkanızda yürümek. Biz sizlerle barış içinde, sevgiyle el ele yürümek istiyoruz. Ve bundan çok mutluyuz. Neden tutmuyorsunuz elimizi?

Böylesi daha güzel değil mi?

Korkmayın!

Hayatın dikenli yollarında yürürken korkmayın. Eskiden yani çok eskiden, biz henüz çocukken birbirimizin hatıra defterine bir şeyler yazarken cümleler hep böyle başlardı. "Hayatın dikenli yollarında yürürken..."

O zaman böyle yazsak da, ne hayatı tanır, ne de o dikenlerin ne olduğunu bilirdik. Meğer neymiş o dikenler...

Oysa hayatın dikenli yollarında el ele yürümek daha güzel, daha kolay, daha güven verici değil mi? Baksanıza etraf vahşi dikenlerle dolu...

Öyleyse, "Korkmuyoruz, biz de kadınlarımıza karşı işlenen bu vahşi cinayetlerden dolayı çok üzgünüz, şiddetle ve nefretle kınıyoruz bunu" diyorsanız bir adım öne çıkın. Ve aşağıdaki adama siz medeni, siz merhametli, sevgi dolu, barışı seven erkekler de bir şeyler söyleyin.

Son zamanlarda kadınlarımızı hunharca öldüren erkeklerden sadece bir örnek bu.

Geçtiğimiz pazar günü, Balıkesir'de aynı tekstil atölyesinde çalışan Mehmet A. ve Şahibe A. geç saatlere kadar mesaiye kaldı. Bir süre sonra aralarında tartışma çıktı. Mehmet A. o sırada yanlarında olan kızlarını, "Siz çıkın, anneniz birazdan geliyor" diyerek dışarı yolladı. Tartışma sırasında Mehmet A. eşi Şahibe'yi feci şekilde dövdü. Kadın aldığı darbelerle yere yığılırken Mehmet A. aracına binip kaçtı. Daha sonra kızlarını telefonla arayıp, "Anneniz dükkânda, kötü durumda. Gidip bakın" demesi üzerine dükkâna koşan kızlar annelerini üstü çıplak, yerde kanlar içinde görünce hemen ambulans çağırdılar. Ancak genç kadın hastaneye ulaşamadan yolda öldü.

Polis yakında bir binada saklanan adamı gözaltına aldı. Emniyetteki işlemlerin ardından adliyeye sevk edilen Mehmet A. tutuklanarak cezaevine gönderildi.

İşte cinayet haberini böyle yazıyordu gazeteler.

Demek yerde kanlar içinde, cansız yatan o kadının anne olduğunu biliyorsun. Kızlarının annesi... Demek kızları oradan yollarken karın bilmese de sen biliyordun ne yapacağını. Kararlıydın yani, öldürecektin karını.

Bir kadını, güreşte yenmek gibi bir şey yani... Bir erkek her zaman bir kadından bedenen daha güçlüdür. Sen de o zayıfa karşı bu gücü kullandın ve karını öldürünceye kadar dövdün. Demek bir tek bu konuda ondan üstünsün. Senden zayıfla başa çıkabiliyorsun. Kendinle ne kadar övünsen azdır! Nasıl, rahatladın mı bari? Bak vura vura, döve döve öldürdün kadını. Kim bilir onu öldürebilmek için ne kadar çok uğraşman gerekti. Ne yaptın, kadının başını duvarlara mı vurdun, yere atıp tekmeledin mi, ağzını burnunu mu kırdın? Bir de canı daha çok acısın diye mi soydun kadını? Onun gücü senin o büyük öfkeni, ona kalkan elini durduramadı değil mi?

Sana yıllarca hizmet eden, sıcak yemeğini önüne koyan, sana iki kız doğuran, seninle gülen, seninle ağlayan, çamaşırını yıkayan, temiz çorabını, pijamanı hazır eden, çocuklarını bağrına basan, onları uyutan, büyüten, hastayken başında bekleyen, sabahları da önce kahvaltınızı hazırlayıp sonra seninle birlikte işe, çalışmaya giden kadını öldürdün ha!

Bizim ülkemizde bir fincan kahvenin kırk yıl hatırı varken, sen kim bilir kaç fincan kahvesini içtin o öldürdüğün kadının. Kaç çeşit yemeğini yedin, çorbasını içtin.

Onlar senin de kızların değil mi? Onları nasıl hem annesiz, hem de babasız bırakırsın? Madem memnun değildin karından, madem ona kızıyordun, ondan boşanmak, yollarınızı ayırmak varken onu öldürmek neden? O çocuklara, o kızlara yazık değil mi? Sadece eşini öldürmedin, sen kızlarının da hayatını kararttın. O çocuklar şimdi ne yapacak? Nasıl bir gelecek bekliyor onları, hiç düşündün mü? Onlar artık, anneleri, babaları tarafından öldürülen bir ailenin kızları. Onların kolunu kanadını öyle bir kırdın ki sen... Bunların hesabını kızlarına nasıl vereceksin.

Ne oldu size ey erkekler, neden bu kadar öfkelisiniz biz kadınlara? Sizi bu kadar kızdıracak ne yaptık? Kadının güçlenmesi, çalışıp hayatını kazanması, işinde başarılı olması mı sizi bu kadar kızdırdı? O kadın bir yandan çalışıp evin geçimine katkıda bulunurken bir yandan da evin her türlü sorumluluğunu alıyor hâlâ. Çocuklarına annelik, eve hizmetçilik, size de kadınlık ediyor. Temizlik onda, yemek onda, alışveriş onda, sabahtan da işe gidiyor sizinle.

Bu kadar marifetli olması mı çıldırtıyor sizi?

Sizi de bir kadın dünyaya getirdi, size analık etti. Belki kız kardeşleriniz de var. Biri sizin annenize ya da kız kardeşlerinize böyle yapsa ne hissederdiniz? Bir kadını, bir anneyi, eşi, sevgiliyi öldürme hakkını kendinizde nasıl buluyorsunuz?

Tıpkı sizin yaptığınız gibi babanız da annenizi öldürse ne hissederdiniz? Ya da kız kardeşinizi eşi öldürse ne yapardınız? Hangi suç, hangi neden sizin hissettiklerinizi değiştirebilirdi?

Sevgili erkekler, pek çoğunuz bu olaylardan biz kadınlar kadar şikâyetçisiniz, üzülüyorsunuz, bu vahşet dursun istiyorsunuz. Bunu biliyoruz, hatta bundan eminiz.

Öyleyse bir adım öne çıkın.

Hemcinslerinize seslenin.

İster köy kahvelerinde, ister belediyelerde, ister her ilde bol bol bulunan lokallerde, kalabalıkların çalıştığı işyerlerinde, otobüslerde, dolmuşlarda, meydanlarda...

Nereyi bulursanız orada.

Öğretmenler, üniversite hocaları, ununu elemiş, eleğini duvara asmış ülkemizin çok değerli büyükleri, bu işe gönül vermiş işverenler, işçi sendikaları, işçi temsilcileri, vakıflar, dernekler, televizyon kanalları, yapımcılar, yazarlar, çizerler, hacılar, hocalar, imamlar, din alimleri, kanaat önderleri, önder olmayan ama bu olaylara karşı olan genç, yaşlı bütün erkekler...

Hemcinslerinizle konuşun, bilmediklerini öğretin, kendi geçmişinizi, hangi yollardan geçerek buralara geldiğinizi, annenizden, ablanızdan, eşinizden hatta kızlarınızdan aldığınız desteği anlatın.

Kadın nedir, kadın kimdir, kadına nasıl davranılır... Öğretin. Öğrenmeyeni lanetleyin, dışlayın bu adamları.

Bu konuyu memleket meselesi olarak görün ve durdurun bu vahşeti.

Tek bir kadınımız bile öldürüldüğünde bunu önemseyin, bunu ülke gündeminden düşürmeyin. Yeri yerinden oynatın. En büyük tepki siz erkeklerden gelsin.

Bütün televizyon kanalları tek yürek olsun. Haberlerde bunları hep birlikte gösterin, aşağılayın, dışlayın, lanetleyin tepkinizi gösterin.

Kol gücü, kas gücü, boyu posu daha büyük, daha güçlü olanın zayıfa gösterdiği bu vahşetle artık siz erkekler mücadele edin.

Sevgili anneler ve babalar, bu sefer de sizlere sesleniyorum.

Sevgili anneler, kadınlarımızı öldüren bu vahşi adamları siz doğurdunuz, siz büyüttünüz. Çocuklarınız kadına saygı göstermeyi önce sizden öğrensin. Daha küçükken bunları o çocukların kafasına sokun. Öfkelerini kontrol etmeyi, yüksek sesle konuşmamayı, kimseye hakaret etmemeyi, aşağılamamayı, kavga etmemeyi o çocuklar sizden öğrensinler.

Sevgili babalar, siz evinizde şiddeti bu çocuklara öğretmeseniz, bu çocuklar sizin o evde uyguladığınız şiddete tanıklık etmeseler, şiddetle yoğrulmasalar, bugün bir kadını asla öldürmeye kalkmazlardı. Sizin öfkeniz, sizin uyguladığınız şiddet var ya, kuşaklar boyu devam edecek.

"Çocuğunu döven yedi göbek torunlarını döver" derler ya, işte öyle. Sizden çocuklarınıza, çocuklarınızdan torunlarınıza kadar uzanan bir zincir bu... Sadece kendi evinizdekileri değil, böyle yaparak toplumu zehirliyorsunuz aslında.

Bunu keşke bir an önce görseniz ve değiştirseniz...

Sevgili kadınlar, hemcinslerinize yapılan bu saldırılarda artık taraf olun. Onların her zaman yanında durun. Kadın kadının kurdu değil yurdu olmalı. Sizler bugünlere gelene kadar kız olduğunuz, kadın olduğunuz için neler çektiniz, unuttunuz mu? Annelerinizden, ninelerinizden neler dinlediniz, hatırladınız mı?

Yaşananları meşrulaştırmayın. Aynı şeylerin bir gün sizin ya da kızlarınızın da başına gelebileceğini unutmayın. Tacizin, tecavüzün, dayağın, istismarın, hele ki cinayetin ne mazereti olur, ne de affı.

Siz kendi aranızda birbirinize kızarsınız da seversiniz de ama size karşı taraftan bir saldırı geliyorsa, işte o zaman taraf olun, hep bir olun.

Kezzap

Sanki kezzap yeniden moda oldu! Bu kelimeyi sık duyar olduk. Erkekler kızınca onları istemeyen, onları terk eden kadınların yüzüne, özellikle de gözlerine kezzap atıyorlar. Kezzap hepinizin bildiği gibi çok ağır bir asittir yani bir insana temas ettiği zaman onun derisinden başlayarak kemiğine kadar eritip yok ediyor.

Halk arasında kezzap denen bu madde üstelik kadınların özellikle gözlerine ve yüzüne atılıyor yani o kadınlar hem görme yetilerini kaybedip kör oluyor, hem de yüzleri yok oluyor.

Bu konu son olarak Berfin vakasında gündem oldu. İki yıl önce kısa bir süre arkadaşlık edip ayrıldığı biri tarafından, Berfin henüz 18 yaşındayken, onunla arkadaşlığa devam etmek istemediği için yüzüne bir buçuk kilo kezzap atıldı. Bu miktarda kezzap insanın tamamını eritip yok edebilir.

Ben şimdi sizlere yüzüne kezzap atılıp yüzü, bir daha geri gelmemek üzere yok olan, bir daha dünyayı görme şansı tamamen kaybolan birinin, sonrasında nasıl bir hayatı olacağı konusunda bir şeyler anlatmak istiyorum. Gazetelerde ya da medyada okuyup geçtiğimiz yüzüne kezzap atılan kadınlar var ya, o olaydan sonra nasıl bir hayatları oluyor acaba diyor ve bunu hep birlikte ayrıntılı olarak düşünelim istiyorum.

Yüzümüz diğer organlarımızdan çok farklı bir öneme sahiptir. Sadece biz insanlar değil, hayvanlar bile yüzleriyle var olur. Bir insan gözleriyle, bakışıyla, mimikleriyle var olur. İnsandan yüzünü alırsanız, varlığını da almış olursunuz ondan, yok olur. Toplum içine giremez, insanlarla ilişki kuramaz; güzel olmak, kadın olmak bir yana çirkin bile olamaz çünkü yüzü yoktur.

Şöyle bir yürüyüş yapayım, okula ya da alışverişe gideyim, bir komşuma gidip kahve içip sohbet edeyim, arkadaşlarımla bir araya geleyim, kapı çalındı, kapıyı açayım, hastaneye gidip tahlillerimi yaptırayım, bu yıl güzel bir tatil yapayım, bir iş bulup çalışayım gibi hepimizin günlük hayatında yaptığımız şeylerin hiçbirini yapamaz. Çünkü yüzü yoktur.

Ayrıca yüzünde ne kadar hasar olduğuna göre belki yemek yemek, nefes almak, konuşmak bile zorlaşabilir.

Onu gören herkes öcü görmüş gibi bakar. İnsanın iyisi de bakar, kötüsü de... Kimi, "Aman Tanrım, kızı gördün mü!" diyerek meraktan, kimi alay ederek, kimi acıyarak bakar o kıza ama bakar.

İşyerleri böyle bir kıza iş vermeyi, insanlar arkadaşlık etmeyi, erkekler onunla yaşamayı kolay kolay istemez. Veya bir çocuk böyle bir annesinin olmasını istemez.

Buraya kadar yüzüne kezzap atılan o masum, o kadersiz kızlara toplumun gözüyle baktık. Bir de o kızlarla, o kadınlarla empati yaparak, kendimizi onların yerine koyarak bakalım.

O kız yüzüne kezzap atıldıktan sonra çektiği acıya, aylar süren hastanedeki tedavi dönemlerinde çektiği ıstıraplara mı yansın yoksa bütün bu acılara rağmen aynada kendine bakınca gördüklerine mi? Hiçbir tedavi ve ameliyat kezzapla yanan yüzü ya da bedenin bir başka bölgesini eski haline getiremez çünkü o bölgede kişiye ait doku kalmamıştır. Yanıp eriyip yok olmuştur ve ömür boyu kişi o derin ve iç karartıcı izlerle yaşamak zorundadır.

Üstelik kezzap özellikle gözlere atıldığı için gözleri de kör etmiş, bir daha dünyayı görme şansı bırakmamıştır. Müebbet hapse mahkûm olan suçlular bile, cezaevinden ömür boyu çıkamasalar da, bu kadınlar kadar acı çekmez gibi geliyor bana. Onlar orada hiç olmazsa bir gün af çıkar ben hayata geri dönerim ümidiyle, kendi gibi mahkûmlarla beraber yaşar. Onun da diğerlerinden bir farkı yoktur. Üstelik ciddi bir suç işlediği için böyle bir cezaya çarptırılmıştır.

Berfin ya da Berfin gibi yani hiçbir günahı olmadığı halde yüzüne kezzap atılan kızlarımızın, kadınlarımızın tek suçu, ona bunu yapan erkeklerle arkadaşlık etmek ya da ilişki kurmak istememesi. Eğer Berfin şikâyetini geri almasaydı, onunla evlenmeseydi, salgın olmasaydı zaten mahkeme ona 13 yıl ceza vermişti. Belki de şu indirimi, bu indirimi derken belki de en çok birkaç yıl yatıp çıkacaktı. O sokakta yeni maceralar peşinde koşarken, bizim zavallı kızımızın cezası hiç bitmeyecek.

Hangi duygu, nasıl bir öfke bir erkeğe sevdiği, hoşlandığı bir kadına kezzap atma kararı aldırıyor acaba? Tek suçu onu istememek olan birine bu kadar büyük, bu kadar acı veren ve hayatını karartan bir ceza vermek nasıl bir şey?

Üstelik ani bir öfkeyle alınabilecek bir karar da değil bu. O kezzap alınacak, kızın ne zaman, nereden geçtiği bulunacak, bu yolun en tenha yeri tespit edilecek, beklenecek, bu sefer olmadı yine beklenecek... Yani bu işleri yapan erkeklerin suçu işleyene kadar epey uzun bir zamana ihtiyacı var. Ne yaptıklarını, bunun karşı tarafa ve kendilerine neye mal olacağını düşünmek için uzun bir zaman bu. Yani ani bir öfkeyle yapılabilecek bir şey değil.

Demek ki bunu uzun süre düşünüp taşınıp, plan yapıp gerekli hazırlıkları tamamladıktan sonra olayı gerçekleştiriyorlar. Türk Ceza Kanunu'nda böyle işlenen suçlara "taammüden" denir. Yani bile isteye, planlayarak işlemiş cinayeti.

Bir insanı öldürerek hayattan koparmak ile yüzüne kezzap atmak arasında gördüğünüz gibi pek bir fark yok. Biri hayatını kaybediyor yani bedenen ölüyor, diğeri kalan süreyi zaten doğru dürüst yaşayamadan, ıstırap çekerek geçiriyor. Yapılan, hayatı boyunca kurtulamayacağı ciddi hem de çok ciddi bir hasar bırakıyor kişide. Onu manen yok ediyor. Aslında bu yazıyı tam da bunun için yazıyorum. Yani kadına sadece kezzap atmıyor, onu hayattan koparıyor. Bunu hem toplum olarak bizler, hem kanunları düzenleyenler, hem de bu suçları işleyen ya da işleme potansiyeli yüksek olan erkekler okusun, anlasın diye yazıyorum.

Toplum olarak, kadınlar olarak yasalarımızın son zamanlarda tırmanış gösteren kadına şiddet davalarında çok yetersiz kaldığını hep birlikte görüyoruz. Bunu Berfin davasında bir kere daha net olarak gördük. Olayın faili, Berfin'i ömür boyu hiç bitmeyecek bir utanca, ağır bir ıstıraba mahkûm ederken, yasalar ona bunun karşılığı olacak bir ceza vermiyor. Mağdurun cezası çok daha ağır değil mi?

Toplumumuzda Berfin gibi yüzüne kezzap atılan kim bilir daha kaç kadın var. Bu suçun failleri ise belki de cezaları çoktan bitti ve başka kadınların canını yakmak üzere aramızda yaşıyorlar. Oysa işlenen suçlara karşılık verilen cezalar birbirine az çok denk olmalı diye düşünüyorum. Denk olmalı ki, bu suçu işlemeye hazırlananlar, olayı bu kadar hafife almasınlar.

Adalet duygusu biz insanlar için çok önemlidir. Adalete olan inancımız zedelenir, kırılır, yara alırsa, bunun topluma yansıması çok sancılı olur.

Biraz da bu tür suçları işlemeye yatkın, toplumun "kötü insan" gözüyle baktığı kişilerin yani sosyopatların, psikopatların ruhsal durumlarından söz etmek istiyorum. Aslında kötü olmak sanıldığı kadar kolay değildir. Ya da kötü olmak kolaydır da kötü biri olarak yaşamak, pek de yaşamaktan sayılmaz çünkü insanlıktan ne kadar uzaklaşırsanız, iyi, keyifli, mutlu bir hayat yaşamak da sizden o kadar uzaklaşır.

Yasalara aykırı bir suç işlesin ya da işlemesin, kötü insanlar çoğu zaman çok karanlık bir dünyada yaşar. Ne kadar kötüyse, karanlık da o kadar koyudur.

Kötü insan için dünya da kötüdür, içinde yaşayanlar da. Şans kötüdür, kader kötüdür, düzen kötüdür, çocuklar ve hayvanlar bile kötüdür. Herkes zaten onlara düşmandır. Kimse tarafından gerçekten sevilmediklerine sonuna kadar inanırlar. Biraz da sevilmememin, onaylanmamanın, değerli ve önemli olamamanın intikamını alırlar dünyadan.

İçlerindeki öfke o kadar büyüktür ve onlara o kadar yoğun bir sıkıntı verir ki, yaptıkları her kötülük az da olsa içlerini ferahlatır. Yolda yürürken ayağına dolanan kediye sıkı bir tekme savurmaktan daha doğal bir şey yoktur onlar için. Birinin canını yakmak, parasını ya da değerli bir eşyasını çalmak, önüne koyduğu bir engelle onun düştüğünü, yaralandığını görmek onlar için hep eğlencedir.

Başkalarının üzüntüsünden, kaybından, korkusundan her zaman zevk duyarlar. Zaten bunlardan başka zevk aldıkları pek bir şey de yoktur.

Birileri onlara saygı ya da sevgi gösterir, güzel sözler söylerse buna inanmakta çok güçlük çekerler. "Böyle yaptığına göre ya benden bir çıkarı vardır ya da beni kandırmaya çalışıyordur" diye düşünürler. Sevgi, şefkat, merhamet, iyilik onların tanımadığı duygulardır. Kendi içlerinde buna benzer bir duygu olmadığı için bu duygular onlara çok yabancı gelir.

Onlara eğer biri iyilik yaparsa bundan memnun olacakları yerde, o iyiliği yapan kişiyi aşağılar, aptal olduğunu düşündükleri bu kişiyle alay ederler. Yaptıkları hiçbir şeyden pişmanlık duymazlar çünkü zaten vicdanları yoktur. En büyük eksiklikleri, diğer insanlarla ya da diğer canlılarla empati yapamıyor olmalarıdır. Yani canını yaktıkları kişinin ne hissettiğini hiç bilmez, algılamaz ve anlamazlar. Adalet duyguları hiç gelişmemiştir, yoktur zaten.

Kişi herkesi kendisi gibi bilir hesabı, onlara yapılan her türlü kötülüğü de çok doğal karşılarlar çünkü dünya zaten kötüdür. Ve dünyada tek bir kural vardır; güçlü zayıfı ezer, gerekirse de yok eder. Onlara kötülük yapılıyorsa bunun tek nedeni, onların bir suç işlemiş olması, yanlış yapması değil, karşı tarafın daha güçlü olmasıdır.

Bu yüzden kendilerinden daha güçlü insanları hemen tanır, onlardan korkar ve uzak dururlar. Kendilerinden zayıf olan tüm canlılar onların hedef tahtasıdır. Zayıfı hiç sevmezler. Onları çok aşağılar, şiddetin her türlüsünü onlara göstermekten büyük zevk alırlar. Çünkü aslında en zayıf halkanın kendileri olduğunu bilir, kendilerine duydukları nefreti de işte hep o zayıflardan çıkarırlar.

Dünyaya yaşamaya değil, yaşamdan intikam almaya gelmişlerdir. Anaları, babaları, kardeşleri, amcaları, dayıları, teyzeleri, halaları, en yakın arkadaşları, sevgilileri hatta varsa çocukları bile her zaman onların hedef tahtasındadır.

Zavallı hayvanlara hiç acımadan eziyet edenler, durup dururken o güzelim ormanlarımızı yakanların çoğu da hep böylelerinin içinden çıkar.

Gülümse...

2021 yılını maalesef hep bizleri derinden etkileyen ve özellikle kadınlara yönelen şiddet olaylarını duyarak, okuyarak, izleyerek geçirdik. Şiddet sadece kadınlara değil, çocuklara, hatta bebeklere bile uygulandı. Kimi küçücük, kundaktaki bebeğini vahşice, öldüresiye dövdü. −Demek olay medyaya yansımasaydı, sonunda o bebek babası tarafından dövülerek öldürülecekti.− Kimi babalar annesinin yerini söylemediği için okuyup doktor olan öz kızını, hiç acımadan öldürdü.

O kızı sen büyütüp, sen okutmadın mı? Demek ki annesinin yerini söylese gidip onu öldürecektin ve kızın bunu biliyordu. Annesini korumak isterken kendi canından oldu. Yani taraflardan biri sevgiyi, merhameti, diğeri vahşeti temsil ediyordu.

Kimileri kezzap atıp kadınları öldürmekten beter etti. Kimi eski eşini, boşanmak isteyen eşini, kendisinden ayrılmak isteyen sevgilisini, kız arkadaşını öldürdü, bunların hesabını tutamadık. O kadar çok ki...

Bir de hiç tanımadığı genç kız ve kadını, pusuya yatıp öldüren sapıklar var. O kadınların tek suçu, o saatte, o sokaktan geçmek. Kimi okuldan, kimi kurstan çıkıp evlerine dönen genç kızlarımız bunlar ve olay bir metropolde yaşandı, yani dağ başında değil.

Hırsızlıklar arttı, dükkânlar soyuldu, dolandırıcılığın yepyeni versiyonları icat edildi.

Okullarda, camilerde, yurtlarda, kurslarda, evlerde, işyerlerinde çocuklarımız, genç kızlarımız ve kadınlarımız taciz ve tecavüze uğradı.

Gençler öz analarını babalarını, kardeşlerini ya da arkadaşlarını öldürdü.

Uyuşturucu kullananların sayısı giderek arttı ve bu kişiler akla ziyan suçlar işledi.

Trafikte yaşanan ufak tefek olaylarda kan döküldü, küçük nedenlerle mahalleli ellerinde silahlarla, sopalarla birbirine girdi. Hayvan besleyenler bile fena halde cezalandırıldılar. Bu arada pek çok hayvan da bu öfkeden nasibini aldı. Kimileri köpeklerini arabaların arkasına bağlayıp koşturdu, kimileri toplu katliam yaptı.

Kadınlarımız, genç kızlarımız bile birbiriyle saç saça baş başa kavga etti.

Salgın boyunca canını dişine takarak, ailelerini ihmal ederek halkımız için ciddi bir özveriyle çalışan doktorlarımızın bir kısmı bu uğurda canından oldu. Sonra ne mi oldu? Bu doktor ve sağlık personelini halkımız dövdü, sövdü, darp etti.

Ben bunca yıl doktorluk yaptım, hastalarımdan en ufak bir saygısızlık görmedim. Ben onlara saygıda kusur etmedim, onlar da bana. Doktorluk zor meslektir. Her zaman fedakârlık ister. Salgının olmadığı dönemlerde bile hep iş başında olmak zorundadır doktor çünkü hastalığın gecesi gündüzü olmaz. Herkes bayram ya da yılbaşı kutlarken, keyif yaparken başlarına bir şey geldiğinde doktoru karşılarında görmek ister. Doktorun da o saatlerde hastanede değil de ailesiyle birlikte olmak istediği, yorgun ve uykusuz olduğu kimsenin aklına gelmez.

Hep doktor dediğime bakmayın, doktorla birlikte o hastanelerde büyük bir sağlıkçı ordusu çalışır. Hastayı kurtaramadığında, tüm bu sağlıkçı ordusunun moralinin nasıl bozulduğunu, belli etmeseler de hep kendilerinde bir kusur aradıklarını, yukarıdaki bir yazımda da yazmıştım.

Onların da yolunu gözleyen aileleri olduğu kimsenin aklına gelmez değil mi? Ben ve eşim, ikimiz de doktor olduğumuzdan pek çok bayramı seyranı yılbaşını birlikte geçiremedik. Ya ben nöbetçiydim ya da o. Özellikle eşim anestezist olduğundan hastane nöbetçisi değil ama ev nöbetçisi olduğu geceler, uykunun en derin yerinde çalardı telefonlar. Onun gecenin bir yarısı yataktan kalkıp apar topar hastaneye koştuğunu çok bilirim. Canımızı emanet ettiğimiz bu insanları başımızda taşımak varken onlara saldırmak, dövmek, sövmek nasıl bir şey, ben anlayamıyorum.

Canlı yayında muhabire tokat atıldı ve stüdyoda sanki her şey normalmiş gibi sohbete devam edildi. Şiddeti bu kadar mı normalize ettik? Eskiden stüdyoya sinek girmişse, insanlar onu nasıl kovalayacağını şaşırır, yayına ara verilirdi. Sinek kadar bile kıymeti kalmadı mı insanların!

Yolda bisikletiyle giden 15 yaşındaki bir çocuk polisler tarafından önce tartaklanıp sonra yere yatırılarak kelepçelendi. Üstelik de çocuk suçsuzmuş. Suçlu olsa bile 15 yaşındaki bir ergene nasıl kıydınız diye sormak isterdim.

Ben yıllar önce sokakta babası ve amcası tarafından tokatlanan bir delikanlıyı görünce yüreğim hoplamış, genç bir kadın olmama rağmen olaya müdahale etmiş, bunu da kitaplarımda yazmıştım. Çünkü o gün yaşadıklarının, o çocuğun hayatını, geleceğini, karakterini nasıl olumsuz etkileyeceğini biliyordum.

İşte o bisikletli delikanlı da bir gün büyüyüp polis olursa, o da genç yaşlı, kadın erkek demeden hepsine sizin ona yaptığınızın daha beterini yapacak. Çünkü siz bunu ona, o çocuğun canını yaka yaka, yakasından tutup yerlerde sürükleye sürükleye, acının en koyusunu çektire çektire böyle öğrettiniz. Şiddet, kuşaktan kuşağa tam da böyle geçer işte.

Halkımızın ruh sağlığı giderek bozuldu. Psikiyatrist ve psikologların randevuları doldu taştı. Depresyon dediğimiz menfur hastalık, tüm dünyada olduğu gibi ülkemizde de adeta salgın yaptı. Kimin çantasını açsanız çoğunun içinde antidepresan ilaçlar var.

Bilmem farkında mısınız ama ülkemizde intihar vakalarında da büyük artış yaşandı. Yani öfkeyi dışa yansıtamayanlar ise ölmeyi seçti.

Her akşam haberleri izlerken gördüğümüz sahnelerde yüreğimiz ağzımıza geldi, içimiz korkuyla doldu. Türkiye Büyük Millet Meclisi'nde bile kavga gürültü eksik olmadı. Elimizle oy verip seçtiğimiz milletvekilleri birbirine ağza alınmayacak küfürler etti, kürsüde konuşurken birbirlerini dinlemek yerine her kafadan bir ses çıktı, yumruklar havada uçuştu. Oradakiler bile böyle yaparsa, sokaktakiler ne yapmaz dedik içimizden.

İşin özü şöyle bir güler yüze, bir tatlı sese, bir tatlı söze hasret kaldık.

Sevgili okurlarım,

Öfke, hep söylediğim gibi son derece bulaşıcı bir duygudur. Her birimizin öfkesi diğerine de bulaşır. Şu anda toplum olarak hepimiz çok gerginiz ve şiddet olayları devam ettikçe bu gerginlik de giderek artacak, evlerimizin içine, aile ilişkilerimize kadar ulaşacak ve hepimize bulaşacak. Zaten bulaştı bile. Şiddet olaylarının çoğu aile içi kavgalardan kaynaklanıyor.

Ülke olarak ciddi sorunlarımız var. Hem maddi, hem manevi yoksulluğu ve yoksunluğu tüm dünyada yaşanan bu büyük salgın iyice artırdı. Yarınlar bizi korkutuyor, endişelendiriyor.

Elimizi başımıza koyup uzun uzun düşünmeye, toplum olarak nereye gittiğimizi bir an önce fark etmeye ve anlamaya çok ihtiyacımız olan bir dönemden geçiyoruz. Öfkemizi her gün artıran ve kışkırtan nedenleri görmeye ve anlamaya çalışmalı, ilk adımı bizler atmanın yollarını aramalıyız. Çünkü bu dönemi, bu gerginliği, öfkeyi, saldırganlığı önce kendi içimizde durduramazsak bunun faturasını, bunun maddi manevi bedelini yine bizler ödeyeceğiz.

Ananız babanız, kardeşiniz, çoluğunuz çocuğunuz, arkadaşınız, komşunuz, öğretmeniniz, öğrenciniz, doktorunuz, işçiniz, bakkalınız, kasabınız, sanatçınız, yazarınız, çizeriniz mutlu değilse, morali bozuksa, huzursuzsa, endişeliyse, korkuyorsa, ağlıyorsa, siz kendinizi mutlu ve huzurlu hissedemezsiniz. Onlar gerginse, öfkeliyse, yüzünüze dik dik bakıyorsa, kavga etmek için bahane arıyorsa aynı duygular, siz hiç fark etmeden size de geçer. Tıpkı yaşadığımız evlerdeki gibi... Kadının ya da erkeğin mutsuz ve öfkeli olduğu bir evde diğerleri kendini iyi hissedebilir mi?

Sadece bireyler değil, bazen toplumlar da hastalanabilir. Geçmiş yıllarda bu durum pek çok kez çeşitli ülkelerde yaşanmıştır zaten. Hastalığımızın teşhisini hep birlikte koyalım isterseniz. Son zamanlarda en çok hissettiğimiz duygular, korku, endişe kaygı ve öfkeyse eğer, demek ki toplumsal bir bunalımın eşiğindeyiz.

Böyle dönemlerde devlete her zaman büyük işler, büyük sorumluluklar düşer. Devlet, bir yandan bu yoğun öfkeyi doğuran koşullarla mücadele ederken, bir yandan da bu öfkeye maruz kalan masum insanları korumak için elinden geleni yapmalıdır. Giderek yara alan adalet duygumuzu tamir etmeli, her şeyden önce bizlere güven vermelidir. Adalete olan güveni, inancı yara alan insanlar ya suç işlemekten çekinmez ya da bir süre sonra adaleti kendi yöntemleriyle uygulama yolunu seçer.

Öfkenin panzehiri her zaman sevgidir, hoşgörüdür, güler yüzdür ve son olarak saygıdır. Devletimiz yasalarda, kurallarda, yönetmeliklerde bize güven verici, adalet duygumuzu pekiştirici düzenlemeleri yaparsa, o zaman sıra bizlere gelir.

Böyle dönemlerde devlete bu konuda destek olmak da bize yani halkımıza düşer. Bizler işe önce kendimizden, sonra ailelerimizden, evlerimizin içinden başlamalı, evlerimize barışı getirmenin yollarını aramalıyız.

Aslında bizim insanımız merhametlidir, konukseverdir, açı doyurmayı, öksüzü, yetimi koruyup kollamayı, başını okşamayı bilir. Yani insanımızın özü iyidir, öyle değil mi? Özümüz olan iyiliği yeniden keşfetme, gösterme zamanı geldi gibi geliyor bana.

İyilik ve yardımdan söz etmişken hiç unutamadığım bir iyilik, yardım, sevgi, şefkat ve anlayış hikâyesi paylaşmak istiyorum sizlerle.

Bu olayı 1976 yılının 4 Kasım günü ben yaşadım ve sonra da bunu *Madalyonun İçi* kitabımda ayrıntılarıyla anlattım.

O zaman Hacettepe'de asistandım. Sevgili babam aynı hastanede kanser tanısıyla yatıyordu. Her fırsatta babamın yanına gidiyor ve biraz daha yıkılmış olarak kendi çalıştığım psikiyatri polikliniğine geri dönüyordum.

Babam henüz 57 yaşındaydı ve biliyordum, ölüyordu. Ailenin ilk çocuğuydum ve doktordum. Tüm aile benim gözlerimde bir umut ışığı arıyordu. Bense doktor da olsam henüz çok gençtim, daha önce bu kadar yakın birini kaybetmemiştim ve çaresizlik içinde kıvranıyor, bu acıya dayanamıyordum.

O gün yine babamın yanındaydım. Bana gülümsüyordu. Bir süre hiç konuşmadan el ele oturduk. Sonra yeniden bizim polikliniğe döndüm. Hastalarım beni bekliyordu. Benim işim hastalara umut vermek, şifa dağıtmaktı ama o gün verecek hiçbir şeyim yoktu. Masamın başına oturdum, gözlerimde biriken yaşı sildim, derken ilk hastam girdi içeri. Yaşlıca bir hanımdı. Yozgatlıymış. Karşıma oturdu, o bana baktı, ben ona. Tam ona bir şeyler sormaya hazırlanıyordum ki, eliyle beni susturdu ve şöyle dedi:

"Önce istersen sen anlat kızım. Benimki o kadar önemli değil. Senin neyin var?"

Benim ona sormam gereken soruyu o bana soruyordu. O güne kadar doğru dürüst ağlayamayan ben, bir anda ağlamaya başladım. O zamana kadar hep dik durmaya çalışmış, özellikle aileme gözümün yaşını göstermek istememiştim. Çünkü güya güçlü bir kadındım ve benim halimi sormak en yakınlarımın bile aklına gelmemişti.

Öyle rahat, öyle içten ağlıyordum ki, kadıncağız yerinden kalktı, sarıldı bana. O kadar yakın ve şefkatli davranıyordu ki, acılarını en yakınlarına bile anlatamayan ben bülbül kesilmiş, hem ağlıyor hem anlatıyordum.

O da başladı ağlamaya. Sonra o yumuşak, sevgi dolu sesiyle uzun uzun konuştu benimle. Rahatlamış, hafiflemiştim. Yozgatlı teyze benim iyice rahatladığımı görmeden çıkmadı odamdan. Ertesi gün babamı kaybettim ama artık acıya daha dayanaklıydım.

Okuma yazması bile yoktu ama insandı Yozgatlı teyze. Bana iyi bir psikiyatristin nasıl olması gerektiğini tam da o gün öğretivermişti. Şimdi eğer hastalarım benden memnunsa, bunda Yozgatlı teyzenin rolü çok büyüktür. Daha sonra da onunla dostluğumuz hep sevgiyle, saygıyla devam etti, bazen ben onun doktoru oldum, bazen de o benim ama ben onu hiç unutamadım.

Bu hikâyeyi okurken içiniz cız etse de yüzünüze bir gülümseme yayıldı değil mi; hem de gülümsemelerin en güzeli.

Dedim ya, özü hep iyidir bizim insanımızın. Gereğinde kendi derdi için gittiği doktora doktorluk eder.

GÜLSEREN
BUDAYICIOĞLU

Camdaki
Kız

Roman

DK

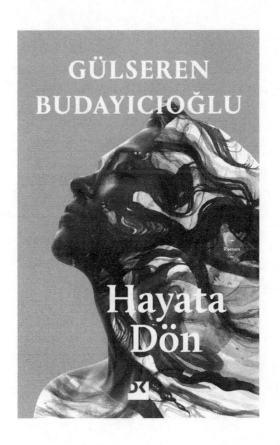

GÜLSEREN
BUDAYICIOĞLU

Roman

Hayata
Dön